Un grand week-end
à Barcelone

Les sortilèges
d'une belle Catalane

Barcelone est une ville de contrastes, entre mer et montagne, inlassable noctambule, laborieuse sous le soleil, ardemment européenne et farouchement catalane. Le *seny* – bon sens – et la *rauxa* – grain de folie – la font balancer entre tradition et nouveauté, fidèle à sa mémoire, déjà tendue vers de nouvelles galaxies, conjuguant imagination et affairisme.

« On ne peut pas parler d'une Barcelone mais de plusieurs Barcelone distinctes qui cohabitent. Les archéologues devraient savoir pourquoi les villes éternelles sont faites d'empilements archéologiques, comme si le lieu qu'elles ont choisi pour exister était le résultat d'un dessein obscur et fatal » note Manuel Vázquez Montalbán dans son *Guide intime*. Les voyageurs d'exception des années 1930, tels André Pieyre de Mandiargues, Joseph Kessel ou ceux de la guerre civile, comme George Orwell et Claude Simon, ne reconnaîtraient pas les quartiers portuaires aux parfums sulfureux d'amour à quatre sous. « Fais-toi belle, Barcelone… », ce slogan des années 1990 a insufflé un nouvel élan et des projets architecturaux ont métamorphosé cette citadelle mythique de la résistance au franquisme. Barcelone a choisi de soigner ses apparences et, sous la férule d'architectes de renom, les vieux quartiers se pomponnent. Une frénésie s'est emparée de la capitale de la Catalogne et l'on voit fleurir musées, boutiques, restaurants, bars et galeries. Modernité, créativité et catalanité riment joyeusement pour le plus grand plaisir des yeux. Chemin faisant, le visiteur curieux découvrira les multiples facettes de la ville : de maisons patriciennes en bars mode qui se démode, des cataractes de pierre d'Antoni Gaudí aux séductions

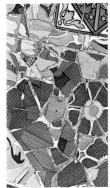

surannées d'un cabaret du barrio Chino, des facéties d'un saltimbanque des Ramblas à l'imagination débridée d'un designer, ici, tout est possible… N'oubliez jamais que vous êtes dans la ville des prodiges, cité de toutes les surprises et de tous les vertiges. Les Barcelonais portent leurs racines à fleur de cœur : fêtes et carnavals s'enchaînent dans un tourbillon de réjouissances. Hommes du Sud par leur superbe et leur attachement à la tradition, hommes du Nord par leur travail et leur sens des

affaires, les Catalans cultivent leur identité comme d'autres des oignons de tulipes, avec soin et jalousie. Perdez-vous dans le labyrinthe des ruelles, et tombez sous le charme d'un patio ombragé qui abrite les collections Picasso, ou, assis à la terrasse de la plaça del Pi, sirotez une *horchata*, aux sons d'un saxo amateur. Dans une boutique à la vitrine moderniste laissez-vous séduire par du linge catalan aux couleurs vives et contrastées. Un peu plus loin, des odeurs de torréfaction mêlées à celles du safran, de la cannelle, des amandes grillées, s'exhalent d'une devanture noire et or et convient à une halte gourmande. Puis tentez une échappée vers le port, rivage à la page,

pour goûter aux effets d'un design prometteur : *copas*, tapas, agapes servies par des serveuses carénées comme des figures de proue, invitent à entrer dans la *marcha* et une frénésie s'empare du badaud. Sachez que la ville dort peu : pas de sieste, réservée aux Andalous disent les Catalans d'un air supérieur… Les nuits barcelonaises s'habillent des couleurs néon, rétro, rococo, paillettes ou high-tech… L'univers du bosseur-noceur catalan vous appartient, faites votre tournée des bars comme d'autres font un tour de piste

olympique avec souffle et endurance.
Bar–Cel–Ona (Bar–Ciel–Vague) résument Barcelone selon le calembour du créateur Mariscal, trois mots-clés qui invitent à surfer joyeusement dans la ville avec la promesse d'atteindre le septième ciel ! Que vous soyez promeneur amoureux, chineur curieux ou gourmet capricieux, elle vous réserve un festival de petits bonheurs.
Benvinguda a Barcelona !

Partir à Barcelone

Quand partir ?

Évitez la période estivale si vous craignez la chaleur et l'affluence des touristes. Toutefois l'activité culturelle bat son plein au mois de juillet avec le théâtre Grec qui propose des spectacles de musique et de théâtre réunissant des troupes étrangères et catalanes. Profitez-en pour découvrir le théâtre en langue catalane. à partir du 15 août et pendant deux semaines, Barcelone connaît un moment unique avec ses fêtes de Gràcia (voir p. 15). Septembre et octobre restent très ensoleillés. On appréciera la fête nationale, la Diada, le 11 septembre. Si toutefois vous décidez de partir en hiver, ou en fin d'automne, n'ayez crainte du froid car le climat reste doux pendant cette période (10°C en moyenne). Vous pourrez apprécier l'ambiance de la ville en participant aux fêtes de Noël, du nouvel an et du carême (voir p. 12). Pour vos achats, sachez que les soldes ont lieu aux mêmes dates qu'à Paris, sans avoir la renommée de ceux de Londres.

TÉLÉPHONER À BARCELONE

Pour appeler à Barcelone, composez le 00 34 suivi du numéro à 9 chiffres de votre correspondant.

Comment partir ?

Pour un séjour de courte durée, oubliez la voiture et envisagez de préférence l'avion ou le train.

En avion

Air France
☎ 0 820 820 820
www.airfrance.com
La compagnie assure généralement neuf vols quotidiens à partir de Paris Charles-de-Gaulle – 1h45 de vol – et de Lyon St-Exupéry – 1h15 de vol – (3 vols en semaine depuis Lyon). Outre les tarifs « Week-end », le site Internet propose tous les mercredis des prix cassés

sur certaines destinations. D'une manière générale, la réservation et le règlement se font immédiatement et il est conseillé de s'y prendre le plus tôt possible. On peut également profiter de nombreuses réductions en réservant son billlet longtemps à l'avance.
Pour les bagages en soute, 30 kg sont autorisés. En cas de surcharge, il vous faudra acquitter un supplément de 6 € par kilo.

Iberia
Renseignements et réservations :
☎ 0 820 075 075
www.iberia.fr
La compagnie nationale espagnole assure sept vols quotidiens (6 le mardi) vers Barcelone au départ de Paris – Orly-Ouest.
Vous pourrez aussi partir de Nice avec trois vols quotidiens (4 vols le lundi).

Si Air France et Iberia vous proposent des prestations intéressantes à destination de Barcelone, pensez aussi à vous renseigner auprès d'autres compagnies qui offrent toute l'année des tarifs promotionnels sur les vols réguliers ou charters :

Easy Jet
☎ 08 99 70 00 41 (pour un départ dans le mois à venir)
☎ 08 26 10 26 10 (pour les réservations déjà effectuées)
Pour tout autre renseignement ou réservation, consultez le site Internet www.easyjet.com

Et pour des départs de dernière minute à des prix très compétitifs (vols secs ou forfaits avion + hôtel) pensez aussi à consulter :

www.anyway.com
www.govoyages.fr
www.opodo.fr
www.expedia.fr
www.odysia.fr
www.lastminute.fr
Les grands voyagistes soldent ici leurs séjours.
Les bonnes affaires sont au rendez-vous, mais il ne faut pas être trop exigeant sur les dates !

Par le train
Au départ de Paris, un train rapide, le Talgo, dessert quotidiennement Barcelone. Ce train de nuit part de la gare d'Austerlitz à 20h32 et arrive le lendemain à 8h24 à la gare de Sants (départ de Barcelone à 21h05, arrivée

Paris à 9h). Les prix varient énormément selon le type de couchette que vous désirez… un petit ordre d'idée : un aller simple pour adulte peut varier environ de 120 à 360 €. Les compartiments sont mixtes, mais, en réservant assez à l'avance, ceux et celles qui le désirent pourront avoir une place dans les rares compartiments non mixtes.
Renseignements et réservations :
☎ 36 35 (7h-22h)
www.sncf.com

Par le car
Si vous habitez près de la frontière espagnole, penchez-vous sur les tarifs proposés par la compagnie Eurolines.

BUDGET
Ne vous imaginez pas en allant à Barcelone choisir une destination bon marché. L'Espagne, comme l'Italie, est aujourd'hui aussi chère que n'importe quel pays européen. Pour un couple, on peut envisager un budget de 150 à 200 € par jour, pour un hébergement de bonne catégorie, les repas et les sorties. Surtout, lors de vos réservations d'hôtel, demandez les prix « fin de semana » (voir p. 83).
Vous l'avez compris, vivre à Barcelone coûte cher.
Il faut par exemple compter de 18 à 36 € pour un repas, de 5 à 6 € pour une entrée de musée, 1 € pour un ticket de bus, de 1,80 à 4 € pour une boisson non alcoolisée, de 6 à 12 € pour une discothèque, 15 € pour un concert, 0,53 € pour un timbre pour la France.

Mais comptez tout de même quelques heures de transport (Montpellier-Barcelone : 6h ; Toulouse-Barcelone : 7h), peu de place pour les bagages et quelques courbatures à l'arrivée.
De Paris, vous avez un départ à 15h pour une arrivée le lendemain matin à 6h.
Les tarifs sont imbattables : à partir de 59 € l'aller simple.
Renseignez-vous à Paris au ☎ 08 92 69 52 52 ou sur internet :
www.eurolines.fr

Gares routières
Barcelone Nord (sur place) :
☎ 902 26 06 06.
Barcelone Sants :
☎ 93 490 40 00.

Les formules tout compris

De nombreux voyagistes proposent des forfaits comprenant le transport et l'hébergement à des tarifs souvent avantageux. Vous éviterez ainsi le tracas des réservations. Sachez toutefois que le choix des hôtels est souvent limité et qu'il s'agit en général de grandes chaînes hôtelières plutôt que de petits établissements de charme.

Jet tours
☎ 08 25 30 20 10
(0,15 € TTC/min)
www.jettours.com

Clio
34, rue du Hameau, 75015 Paris
☎ 01 53 68 82 82
www.clio.fr

Donatello
20, rue de la Paix, 75002 Paris
☎ 01 44 58 30 81
www.donatello.fr

Nouvelles Frontières
87, bd de Grenelle, 75015 Paris
☎ 0825 000 747
www.nouvelles-frontieres.fr
Tous les mardis, Nouvelles Frontières met en ligne à bas prix des vols secs ou séjours invendus.

Voyageurs du Monde
Propose des formules avion + hôtel (avec une large gamme d'hôtels, de toutes catégories)
☎ 01 42 86 16 00.

N'hésitez pas à consulter aussi Internet : il existe une multitude de voyagistes en ligne. Un conseil : soyez vigilant quant aux horaires de vols. Parfois, les heures de vols ne sont communiquées qu'au dernier moment et vous avez alors la mauvaise surprise de découvrir que le départ se fait le vendredi

soir à 23h et le retour le dimanche matin à 7h ! Pour éviter cela choissisez des vols réguliers.

De l'aéroport au centre-ville

L'aéroport du Prat, à 12 km au sud de Barcelone, est relié à la ville par l'autoroute de Castelldefels. Vous avez différentes possibilités pour rejoindre le centre. Toutes sont rapides et faciles d'accès.

En train
De 6h à 23h40, il vous conduit en 25 min à la gare de Sants et plaça de Catalunya. Départ toutes les demi-heures.
Billet : de 2,16 à 2,50 €.

En aérobus
De 6h à minuit, tous les quarts d'heure, un bus conduit à la plaça de Catalunya, en s'arrêtant plaça de Espanya et plaça de la Universitat. De là vous pourrez prendre le métro et vous serez rapidement à votre hôtel. Trajet d'une demi-heure environ. Billet : 3,30 €.

En taxi
Comptez environ 25 € pour rejoindre le centre-ville en une demi-heure (attention

aux heures de pointe et à la circulation). Soyez vigilant sur les tarifs affichés au compteur lorsque vous monterez dans le taxi et n'hésitez pas à vous faire préciser les choses.

Renseignements aéroport
☎ 93 298 38 38.
Air France
☎ 93 298 35 85.
Iberia (sur place)
☎ 902 40 05 00.

Les formalités

Les ressortissants de l'Union européenne doivent être en possession d'une carte d'identité en cours de validité ou d'un passeport périmé depuis moins de cinq ans. Pour les citoyens des autres pays, un passeport est exigé, et parfois même un visa ! Pour tout renseignement particulier, vous pouvez vous adresser aux institutions suivantes :

Consulats d'Espagne :
165, bd Malesherbes, 75017 Paris
☎ 01 44 29 40 00 (le matin) ;
1, rue Louis-Guérin, 69100 Villeurbanne ;
24, rue Marceau BP 12/21, 34010 Montpellier Cedex 01 ;
1, rue Notre-Dame, 33000 Bordeaux.

Assurance

Les agences de voyages proposent presque toujours dans leur forfait une assurance bagage et rapatriement. Par ailleurs, certaines cartes de crédit internationales offrent parfois ce service à leurs titulaires. Il est inutile de payer plusieurs fois pour la même couverture,

renseignez-vous avant de souscrire une assurance particulière auprès d'un organisme spécialisé.

Europ Assistance
☎ 01 41 85 85 85.
Mondial Assistance
☎ 01 40 25 52 55.

La douane

Les accords de Schengen favorisent la libre circulation des personnes. Vous n'avez donc qu'à vous munir de votre carte d'identité ou d'un passeport. Vous pouvez acheter des biens pour vos besoins personnels sans limitation de quantité ou de valeur et sans formalité aux frontières de la Communauté européenne. Quelques marchandises, dont le tabac et l'alcool, font néanmoins exception à cette règle et leur importation est limitée à une certaine quantité.
Pour tout renseignement, adressez-vous au bureau Infos douanes services :
☎ 0820 02 44 44 ,
ou consulter le site : www.douane.gouv.fr

Santé

Avant de partir, faites un saut dans votre centre de

Sécurité sociale ou demandez par courrier votre carte européenne d'assurance maladie. Ce document magique vous permettra d'être pris en charge lors de votre séjour à Barcelone auprès des médecins, hôpitaux et pharmacies. Si vous suivez un traitement médical particulier, n'oubliez pas vos ordonnances, elles vous seront nécessaires pour acheter vos médicaments. Sur place, le Barcelona Centro Medico prend en charge les patients étrangers, répond à leurs besoins et les oriente vers les hôpitaux, médecins ou dentistes :

Barcelona Centro Medico
Av. Diagonal 612, 2°/14
☎ 93 414 06 43
☎ 93 930 34 64 (24h/24)
www.bcm.es

HEURE LOCALE ET VOLTAGE

Le courant est le même qu'en France (220 V, fréquence 50 Hz) et les prises sont identiques. Vous vivrez aussi à Barcelone à la même heure qu'en France, hiver comme été.

Un goût de soleil
et de montagne

À l'image du pays, la cuisine catalane a des saveurs rustiques et authentiques. Pyrénées et Méditerranée conjuguent leurs parfums contrastés pour offrir des délices sans artifice. On apprête, à base d'ingrédients simples mijotés sur le feu, des plats solides qui tiennent au corps : lapin de garenne aux gambas, pot-au-feu aux haricots blancs, perdrix au chou, morue à la ratatouille, escargots et bolets à la braise… Et bien d'autres mets encore qui aiguisent les papilles et exhalent les senteurs de la Catalogne.

Les bases : sauces et *pa amb tomàquet*

Généralement préparée à l'huile d'olive ou au saindoux, la cuisine catalane utilise quelques sauces de base : la *picada* (amandes, ail, pignons, noix, noisettes, huile, pain rassis, eau tiède, persil haché pilés dans un mortier) ; le *sofregit* (oignons et tomates hachés menu et frits) ; la *samfain* (la ratatouille mêlant poivrons, aubergines, tomates et parfois oignons) ; l'ailloli, qui se compose uniquement d'ail, d'huile et de sel. Simple mais irrésistible,

le *pa amb tomàquet* (pain à la tomate) accompagne les repas : une tranche de pain grillée, frottée avec une tomate fraîche, salée et arrosée d'huile d'olive.

Un goût de soleil en hiver

L'*escudella i carn d'olla* est un pot-au-feu de viande de bœuf, oreilles et pieds de porc, volaille, agneau, *botifares* (saucisses) blanches et noires, chou, céleri, carottes, navets, pommes de terre et haricots blancs. On y ajoute la *pilota*, une mixture de viande de porc et de veau, hachée et mêlée de mie de pain, d'œufs et d'épices. C'est un plat typique de la région qui se prépare les jours de froid, présent sur toutes les tables des fêtes de Noël.

Saveurs de Méditerranée

Un pied dans l'arrière-pays, un pied dans l'eau, le Catalan est un être amphibie : il rend hommage aux produits de la montagne et à ceux de la mer. À l'apéritif, des tapas de coquillages préparés à la mode du pays, *tellines* et couteaux, fritures de rougets et de civelles, poulpes et encornets grillés (chez Cal Pep, voir p. 89). Au menu, un *suquet de peix*, bouillabaisse de la Costa Brava, une dorade en croûte de sel, *daurada a la sal*, ou l'*arros negre*, riz noir à l'encre de seiche à déguster aux Set Portes (voir p. 53) ou à l'ombre d'une treille sur le Tibidabo (voir p. 67).

Au fil des saisons

La Catalogne dispense généreusement les produits de son terroir tout au long de l'année. Les Catalans

apprécient particulièrement les *cargolades*, plats champêtres à base d'escargots petits-gris et de viandes grillées sur des braises de sarments, accompagnés d'aïlloli. La traditionnelle *calçotada* réunit pendant l'hiver famille et amis autour de *calçots a la brasa*, poireaux grillés au feu de bois, accommodés d'une sauce, secret de la maison. La *botifarra negra*, boudin noir (au Semproniana, voir p. 90), est préparée avec de la viande de porc maigre mêlée au sang de l'animal. La *botifarra de l'Empordà* est sucrée et parfumée d'écorce de citron et de cannelle, recette héritée du Moyen Âge.

Péchés gourmands

Parmi tous les desserts – croquignoles, gâteaux aux épices, fromages blancs nappés de miel et d'amandes – il est un délice de douceur qu'il vous faudra absolument goûter : la *crema catalana* ou *cremada* (au Granja Viader, voir p. 92). C'est une crème brûlée parfumée à la cannelle que l'on accompagne d'un verre de *cava* tout embué de fraîcheur. Le *cava*, champagne local, est une spécialité de Sant Sadurni d'Anoia, un village où l'on visite les caves Codorniù, splendide édifice moderniste.

BATTERIE CATALANE

Si, comme Alexandre Dumas, vous regrettez « *la marmite éternelle qui, ni jour ni nuit, ne quittait le feu* », et que vous avez des envies de cuisine réconfortante et conviviale, voici quelques ustensiles indispensables pour réussir les savoureuses recettes catalanes : chez Juan Soriano Faura (voir p. 112) des plats à paella ; à la Caixa de Fang (voir p. 122) des *olles*, marmites en terre cuite couleur olive et sable, un fer à brûler et des ramequins pour la crème catalane, et le *porrò*, cruche en verre à long bec, pour boire le petit vin blanc du Penedès. Á vos amours !

Copas, tapas
et compagnie

Barcelone est la ville des cafés et des bars. Certains appartiennent déjà à la mémoire populaire – Le Suizo, l'Oro del Rin, La Luna – d'autres affichent hardiment un design d'avant-garde. La diversité est le mot d'ordre : du bric-à-brac d'une fête foraine au bouilleur de cru jaloux de ses secrets, en passant par un bar à tapas au billard patiné par le temps. Les joueurs de dominos côtoient sans acrimonie la jeunesse débridée et les vétérans d'une « gauche divine » nostalgique. En avant pour la *marcha* !

Agapes à la catalane

Un Catalan ne reçoit pas facilement chez lui. Comme dans beaucoup de pays méditerranéens, la sociabilité se fait dans la rue. L'invitation *anar de tasca* ou *ir de tapas* est déjà une marque de confiance, on passe alors la soirée à faire la tournée des bars, jamais pour s'enivrer, mais plutôt pour se retrouver, de façon informelle, autour d'amuse-gueules alléchants et d'un petit vin de pays.

Chaud devant !

Le nom de *tapas* proviendrait des couvercles que l'on posait sur les verres de vin pour empêcher les mouches d'y tomber (*tapar* : fermer,

boucher). Très vite, on y dépose un morceau de jambon ou de fromage, la coutume des *mezzes* orientales n'est pas loin. À la carte, il y a l'embarras du choix : de l'*escalivada*, aubergines et poivrons confits dans l'huile d'olive, aux poulpes frits, des anchois de l'*Escale* aux *embotits* (cochonnailles) des Pyrénées. Les *fuets*, saucisses sèches, le saucisson au poivre noir de Vic, et le *pernil serrano*, jambon de pays, se disputent les faveurs.

Chiringuito et bodega

La *bodega* est un bar à vins, un estaminet parfois décoré de tonneaux et de fûts pour la couleur locale. On y débite des boissons à la demande et

il n'est pas rare qu'il combine sa carte de vins à celle d'une sélection de charcuterie. La *can* ou *casa* offre une cuisine familiale qui fait mijoter sur le feu les produits frais du marché. Le *chiringuito* se trouve en bordure de mer, c'est une gargote de pêcheurs alors que la *fonda* est une auberge où l'on prend ses repas à la fortune du pot. Les délices sucrées ont leurs *granjas*, aux produits fermiers et lactés, et les *horchaterias*, spécialisées

en orgeat aux amandes ou de souchet, *horchata de chufa*.

Mode d'emploi

La tradition des tapas est surtout très ancrée en Andalousie et au Pays basque. En Catalogne, elle adopte d'autres usages. On passe la commande *a la barra*, sur le zinc, *de racïón* ou *media racïón* (portion ou demi-portion). Les horaires devancent un peu ceux des repas (voir p. 32), et il faut éviter de parler fort, pour se distinguer des Andalous trop bruyants ! En général chacun paie son écot, vous pouvez aussi offrir la tournée : les Catalans ont la réputation d'être pingres, à la différence des Andalous…

Nulle part ailleurs

Tout est possible dans un bar barcelonais, surtout le jeu.

La *manilla*, le tarot catalan ou la *subhastat*, la belote. Les vieux du quartier y jouent des après-midi entiers, des pois chiches ou des grains de maïs en guise de jetons. Ailleurs, des machines à sous tentent le diable. Le restaurant El Japones (voir p. 128) accueille, dans un décor minimaliste, une clientèle branchée. Au Salón (voir p. 128), c'est soupe du soir ou plats bio. Enfin, le Shoko (voir p. 132) propose de boire des cocktails en se prélassant sur des banquettes tendues de velours.

AU HIT-PARADE DU CŒUR, LE MARSELLA

Le Marsella est un bar au décor inchangé, depuis qu'en 1820 un Marseillais a fondé ce café et ouvert un débit d'absinthe. Depuis le début du siècle dernier, la famille Lamiel le régente. Pendant la dictature fasciste, on y interdisait chants et réunions, « *est à prohibido cantar* » signalent encore des inscriptions sur les miroirs ternis (voir p. 130).

Sant Pau, 65 – M° Liceu
☎ 93 442 72 63
Lun.-jeu. 21h-2h30, ven.-dim. 18h-2h30.

Fêtes : piété et traditions
au fil des saisons

De solstice en équinoxe, les fêtes traditionnelles font de la ville un théâtre sans loge ni balcon. La culture populaire, très vivace en Catalogne, enchante les foules friandes de spectacles bien choisis : passage de géants en carton-pâte, enfants ébahis à l'arrivée des rois mages par bateau, travestissements felliniens du Carnaval, rondes interminables des sardanes, équilibre époustouflant des *castellers*, etc. Sans oublier les sucreries et friandises qui accompagnent chacune de ces réjouissances et enjolivent les vitrines des pâtissiers d'une marqueterie colorée. Que la fête commence…

Décembre

Dès le 13 décembre, fête de Santa Llucia, le parvis de la cathédrale se couvre d'éventaires où guirlandes, boules, perles et rubans font rêver d'un nouveau Noël. Les personnages de la crèche sont à l'honneur : les santons sont mis en scène dans un décor d'écorce de chêne-liège et de mousse. La présence

du *caganer* surprend, figure typiquement catalane d'un berger en train de faire ses besoins : il est supposé fumer la terre, symbolisant ainsi la fertilité !

Janvier

Pour fêter le passage à la nouvelle année, famille et amis se réunissent pour déguster le *postre del music* (dessert du musicien),

composé de miel, fruits secs et *matò* (lait caillé). Quand sonne minuit, chacun mange douze grains de raisin porte-bonheur, au rythme des coups de la pendule. Dans la nuit du 5 au 6 janvier, les bambins laissent en vue sur leur balcon pain et eau pour les chameaux, *turrón* et fruits secs pour les mages. Ceux-ci débarquent au port : c'est la *cabalgata de los Reyes Magos* (chevauchée des rois mages), moment magique entre tous. Ils apportent avec eux cadeaux et friandises aux enfants qui en ont fait la demande dans une lettre remise à l'un des pages présents dans la ville quelques jours auparavant. Les garnements, eux, n'auront droit qu'à du charbon ! (achat de *turrón* chez Donat-Planelles, voir p. 120).

Février
Du jeudi gras au mercredi des Cendres se déroulent les *Carnestoltes* (chahuts du Carnaval), longtemps interdits sous le franquisme. Le dernier jour on brûle Carême. Ce personnage incarne le déchaînement des jours précédents : bals masqués et défilés de chars ont lieu dans les rues de Barcelone et surtout de Sitges (voir p. 68).

Pour en profiter pleinement, vous pourrez faire vos achats de déguisements chez Menkes (voir p. 105).

Mars
Le 19, c'est la San Josep, patron des pères et des charpentiers, prénom très populaire dans toute la Catalogne. On le fête en mangeant la crème catalane (voir p. 9 ; achat du fer à brûler et des ramequins à la Caixa de Fang voir p. 122). Le dimanche des Rameaux ouvre la Semaine sainte : sur la Rambla de Catalunya, les feuilles de palmier se vendent tressées en forme de croix, fleurs, oiseaux fantastiques, etc. En Méditerranée, cet arbre symbolise régénération et immortalité. Le dimanche de Pâques, le parrain offre à son filleul une *mona*, gâteau en forme de couronne, dans laquelle sont enfoncés trois à douze œufs entiers : l'œuf pascal représente la vie et la perfection (achat à la pâtisserie La Colmena voir p. 121).

Avril
Le 23, le pays célèbre Sant Jordi (saint Georges), patron de la Catalogne. Ce chevalier terrassant un dragon eut son heure de gloire au Moyen Âge : la noblesse l'adopta sur son étendard dans la reconquête contre les Maures. Ce jour-là, l'amoureux offre une rose à sa dulcinée, en échange, elle lui donne un livre (librairie Sant Jordi voir p. 119).

Mai

Le 11, la foire de Sant Ponç, patron des homéopathes, propose herbes médicinales et aromatiques. Carrer de l'Hospital, des étals et éventaires promettent saveurs et parfums de sirops, fruits confits et miels, pour le plus grand plaisir des sens. Barcelone conserve une quarantaine d'herboristeries, elles jalonnent la ville de leurs vitrines aux couleurs pastel.

Juin

La Fête-Dieu, *Corpus Christi*, célèbre l'Eucharistie : la tradition chrétienne ayant relayé, dès 1264, d'anciennes processions favorables à la maturation des céréales. Les *caps grossos* (grosses têtes et géants) défilent dans les rues. À Barcelone, depuis le XVIIIe s., la tradition de l'*ou com balla* (œuf dansant) se pratique dans le cloître de la cathédrale et le patio de la Casa del Ardiaca : on place un œuf vide en équilibre sur le jet de la fontaine. Certains y voient l'Eucharistie dans son ostensoir, on associe en tout cas ici la symbolique de l'eau et de la naissance. Le 23 juin,

c'est la nuit de la Saint-Jean. Le solstice d'été est fêté par des feux de joie : autrefois sur les places, à la croisée des rues, on brûlait vieux objets

et meubles en signe de purification, aujourd'hui ils ne sont autorisés que sur la colline de Montjuïc. Passer trois fois par-dessus les flammes protège contre le mal. On se partage la *coca*, galette aux pignons arrosée de la *barreja*, mixture d'eau-de-vie, malvoisie et moscatelle.

Juillet et août

Durant les mois d'été, les fameux *castells* se dressent, et tout Catalan rêve de devenir *casteller* dans sa cité. Le *castell* est le symbole de la communauté : il s'agit pour les habitants d'élever un château vivant, en se tenant en équilibre les uns sur les autres. Plusieurs volontaires forment un socle de muscles sur lequel repose le fragile édifice. Les groupes rivalisent pour atteindre cinq à neuf niveaux. C'est toujours un enfant, l'*anxaneta*, qui monte à l'assaut du château et salue la foule en arrivant au sommet. L'origine de cette tradition méditerranéenne remonte à des cérémonies destinées à célébrer la

UNE RONDE TOUT AU LONG DES SAISONS

La sardane, danse catalane par excellence, a des origines très anciennes, probablement crétoises. Elle se pratique toutes générations confondues ; après un bref pas d'introduction, elle alterne des pas courts de huit mesures et des pas longs de seize mesures, répétées à deux reprises. À la fin, les participants joignent leurs mains vers le centre de la ronde. L'orchestre, ou *cobla*, se compose de onze musiciens, dont les instruments sont le *flabiol* (flûte à bec jouée d'une seule main), le tambourin, deux cornetins, un *fiscorn*, deux *tibles* (instruments à vent) et la *tenora* (hautbois), instrument emblématique de la sardane. Vous pourrez vous joindre à la danse, le dimanche à 12h et le samedi à 18h30, pl. de la Cathédrale, et à 18h30 le dimanche, pl. Sant Jaume. (achat d'espadrilles à la Manual Alpargatera, voir p. 101).

fertilité de la terre. Le 15 août commencent les fêtes de Gràcia. Pendant environ deux semaines, on boit et on danse dans les rues de cet ancien village, aujourd'hui annexé à Barcelone, où l'esprit de quartier est très ancré.

Septembre

Le 11, fête nationale catalane, commémore la prise de Barcelone en 1714 par Philippe V. Les institutions locales furent alors abolies et ce jour est devenu symbole de nationalisme. Ce n'est pas la défaite de la ville qu'on célèbre, mais la lutte contre le Bourbon. Il est préférable d'arborer un drapeau catalan le jour de la *Diada*.
Le 24, Barcelone se consacre

aux *Festes de la Mercè*, la Vierge instituée patronne de la ville au XIXe s. Depuis, elle tient le haut de l'affiche à la *Festa Major*. Une sorte d'effervescence aussi profane que religieuse s'empare alors des habitants. À tous les coins de rue s'offrent

les plaisirs gourmands de produits locaux, tandis que les géants et dragons de feu poursuivent les mauvais esprits en déroute. Au cours de cette semaine du 24 septembre, on assiste àdes représentations musicales et théâtrales : places Sant Jaume, de la Cathédrale, del Rei, plaça Reial, parc de l'Escorxador.

Novembre

La Toussaint met un terme aux réjouissances de l'automne et à la célébration de l'abondance. Il va falloir s'acoquiner avec les morts, faire de ces êtres redoutés des ancêtres bienveillants. Autrefois, le soir de la Toussaint, on se réunissait en famille pour dire des chapelets à la mémoire des défunts en mangeant des châtaignes. La consistance pâteuse de ces fruits était supposée boucher la voie aux esprits errants, dont on craignait qu'ils ne cherchent à s'emparer des corps des vivants. Aujourd'hui, on se contente de prendre pour dessert des *panellets*, confiseries en pâte d'amandes entourées de pignons évoquant la châtaigne, accompagnées d'un vin doux.

L'amour foot

« C'est plus qu'un club » : sous ce slogan fédérateur, le Barça, équipe de foot mythique, reçoit le soutien de plus de 105 000 membres. Venus de tout le pays, ses supporters lui vouent une passion inconditionnelle. Quand le Barça gagne, les drapeaux flottent au vent, les Klaxon et les chants retentissent. Pour faire mouche dans une conversation avec un Catalan, il vous suffira de lancer à la cantonade le mot magique de Barça et les préjugés à votre égard tomberont !

Chronique d'un siècle

Le club naquit en 1899, quand Barcelone commençait à prétendre au rang de

grande capitale. L'Exposition de 1888 l'avait lancée et elle tentait de s'incorporer au mouvement européen. Voici plus d'un siècle qu'un Suisse du nom de Hans Gamper créa cette institution locale. Il est amusant de penser que le Barça, symbole du catalanisme, porte les couleurs bleu et rouge d'un canton vaudois, et que la majorité des membres fondateurs étaient anglais ou allemands.

Liberté, liberté chérie

Quand le Barça jouait contre l'équipe du Real Madrid,

il cristallisait déjà sous le franquisme toute la haine du centralisme. Il est évident que son pouvoir financier (l'un des

clubs les plus riches d'Europe avec un budget annuel de 31 millions d'euros) et son attitude politique sous la dictature lui ont constamment attiré des inimitiés. Il demeure le rempart d'un catalanisme mâtiné du désir de sauter les Pyrénées dans la recherche d'une reconnaissance internationale.

Du nord au sud

Le coup de génie de Gamper est d'avoir donné au club le nom de la ville. Le club Barcelona a servi d'instrument d'intégration aux immigrants venus d'autres régions d'Espagne : être *socio* (membre), c'est d'une certaine façon devenir Catalan en s'affiliant à un parti gagnant. Dès le départ, les fondateurs ont vu dans l'institution un lieu d'union où devait s'exercer une fraternité réelle. Elle réunit la population toutes

classes confondues, et l'on se transmet les cartes de membre de père en fils.

Le Camp Nou

Inauguré en septembre 1957, il remplaça l'ancien stade des Corts, stade légendaire des origines, dont on porta à dos d'homme la dernière pierre au Camp Nou. Conçu par trois architectes, Soteras, Mitjans et Barbòn, il peut contenir 120 000 spectateurs.

L'hymne du Barça

« Le stade n'est qu'un cri ; Nous sommes les rouge et bleu *(la gente baugrana)* ; Peu importe d'où nous venons, du nord comme du sud : Sur un point nous sommes d'accord, Un drapeau nous rend frères, Rouge et bleu dans le vent ; Un cri dont la vaillance A fait connaître notre nom dans le monde entier : Barça, Barça, Barça ! »

La fontaine de Canaletes

Il est un lieu dans Barcelone où les commentaires sportifs vont bon train : en haut des Ramblas, à la fontaine de Canaletes. Depuis le XIXe s., sur l'emplacement d'une source antique, elle était le rendez-vous des étrangers de passage. On y commente aujourd'hui le dernier match contre le Real Madrid, et le foot prend des allures de joute médiévale. Achetez un quotidien local, *la Vanguardia* ou *el Periódico*, écrits en castillan, et, pour compléter le tableau, plongez-vous dans le roman de

Manuel Vázquez Montalbán, *Hors jeu* (Éd. Bourgois). À ce train, vous ferez vite partie des 4 millions de Catalans qui ne se couchent pas le dimanche sans s'être au préalable enquis des résultats du Barça !

MUSÉE DU BARÇA

Le musée du Barça jouit d'une renommée mondiale dans son genre, et il est le deuxième musée le plus visité de la ville. Photographies, trophées, records, montages audiovisuels essaient de synthétiser la riche histoire du club. Une biennale d'Art du FC Barcelone rassemble peintres, sculpteurs et écrivains qui s'inspirent du sport dans leurs œuvres. Ainsi, des artistes comme Dalí, Clavé, Miró, Subirachs ont donné du prestige à cette institution.

Av. Aristides Maillol, 7
☎ 93 496 36 00
Lun.-sam. 10h-18h30, dim. 10h-14h
Entrée payante.

Alambic et
vieilles dentelles

Barcelone est le paradis des promeneurs. En flânant dans les rues et les brocantes, les chineurs trouveront sûrement leur bonheur. En fouillant, on peut dénicher des azulejos anciens, de la céramique à reflets métalliques, de vieux fers à braise, un coffre de fiancée, *caixa de núvia*, ou une ancienne édition de *Tintin* en catalan. Enfin, un petit tour par le marché aux puces, Els Encants, est une escale de charme où le flot coloré des stands mêle nippes et rossignols !

Le mobilier catalan

Dès le Moyen Âge, la Catalogne fut en relation, par mer, avec le reste de l'Europe. Les liaisons par terre restaient plus difficiles et le mobilier proprement espagnol ne s'introduisit pas véritablement dans la région. La possession d'un cabinet espagnol en maroquin cordouan, le *bargueno*, était une pièce aussi rare qu'un vase de Chine ! Les modèles vinrent plutôt d'Italie, d'Angleterre et de France. Ne vous attendez donc pas à découvrir un mobilier régional extraordinaire d'originalité.

Un petit air provençal

Autrefois, des menuisiers (c'est-à-dire ceux qui travaillaient le « menu bois ») provençaux s'installèrent à Gérone et divulguèrent leur savoir-faire. Vous rencontrerez beaucoup de ces meubles de *masia* (mas, ferme)

rustiques, en noyer avec parfois des incrustations claires en buis. Souvent, par souci d'économie, la façade du meuble est élaborée alors que le fond est laissé brut. Au fil des siècles, chêne, noyer, bouleau, peuplier et même acajou importé d'outre-mer furent utilisés.

La *caixa de núvia*

Le coffre de fiancée est un meuble institutionnel des familles catalanes du XVIe s. au XVIIIe s. Généralement en noyer, il mesure environ 140 cm de long et 60 cm de

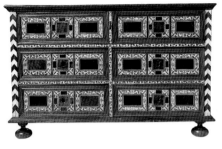

haut. Réservé au rangement, il se répandit des plaines jusqu'aux montagnes, et son usage fut généralisé aussi bien dans les fermes que dans les palais. Le jour du mariage, les fiancés recevaient un coffre contenant leur dot. Celui de la promise est reconnaissable à la petite porte de droite, ouvrant sur un compartiment à bijoux et atours précieux. Au XVIIIe s., ce coffre traditionnel se fit détrôner par la commode puis par l'armoire à glace, moins mobiles mais plus pratiques pour ranger ses affaires.

Flâneries d'un chineur amoureux

Pour les amateurs d'antiquités, rendez-vous dans le Call, ancien ghetto de la Barcelone médiévale (voir p. 38). Les rues Banys Nous et Palla sont bordées d'antiquaires : au n° 8 de la carrer de la Palla, on vend une belle sélection de cannes aux pommeaux d'ivoire, de nacre, ou d'argent, d'éventails en plumes d'autruche et de vases en pâte de verre un peu dans l'esprit de ceux de Gallé. Au n° 11 de la même rue, Erika Niedermaier propose de la céramique à reflets métalliques du XVIIe s., des pots à onguents d'apothicaires, des objets en fer forgé

dont l'histoire est racontée par cette collectionneuse passionnée ; au n° 22 de la carrer de Banys Nous, M. José Royo se spécialise dans l'art sacré, bois dorés, sculptures populaires et extraordinaires, objets de culte baroques. Au n° 14 de la rue, on trouve des meubles catalans de haute époque, des coffres de fiancée et de vieux azulejos (du persan « al zuleich », pierre lisse et plate), carreaux colorés émaillés particuliers à la péninsule Ibérique (voir aussi p. 114-115).

L'ARCA DE L'AVIA, DES RÊVES COUSUS DE FIL BLANC

Créée en 1840, cette célèbre maison, fournisseur de la famille royale, se consacrait à la fabrication de dentelle aux fuseaux et *mantillas* espagnoles. À l'époque, ces accessoires froufroutants étaient très prisés et leur abondance, comme celle des bijoux, devait indiquer la fortune de la femme qui les portait. Cette boutique est un coffre (*arca*) à merveilles, elle offre tout ce qui constituait autrefois le trousseau de la mariée : nappes et draps en lin brodé, serviettes de bain en damas, jusqu'aux mouchoirs de cérémonie où l'on mettait parfois la dot.

C. Banys Nous, 20,
☎ **93 302 15 98**
Lun.-ven. 10h-14h et 17h-20h, sam. 11h-14h.

Le modernisme : exubérance
et fantaisie à l'honneur

Le modernisme est le style architectural de la ville par excellence. Du palais de la Musique à la pharmacie Bolòs, en passant par l'hôpital Sant Pau et le bar 4 Cats, ce mouvement artistique façonne les maisons comme des sculptures, couvre d'or et d'azur les façades et fleurit les cheminées. Tout défie la rhétorique, la logique, l'ordre : l'imagination est au pouvoir. À chaque coin de rue, une facette du génie de l'invention arrête le promeneur, ce grain de folie rend la ville délirante et passionnante.

Un climat fin de siècle

Le XIXᵉ s. pensait que progrès et science seraient les sauveurs de l'humanité. À la fin du siècle, l'esprit positiviste traversa une grave crise qui ouvrit la voie à l'anarchisme et aux attentats. On surnomma la ville « La Rose de Feu ». La subjectivité, l'irrationalisme, le retour à la nature et les doctrines orientales prirent le pas sur l'ordre et la raison. Le modernisme s'éleva contre l'académisme et le mauvais goût provincial. Soutenu par les bénéfices

d'une industrialisation et d'un nationalisme forcenés, il trouva des mécènes pour réaliser ses rêves.

Un air de famille

Le modernisme désigna un courant culturel qui s'imposa à la fin du XIXᵉ s. Il avait des airs de famille avec le *Modern Style* britannique, le style 1900 belge, le *Jugenstil* allemand, le *Sezessionstil* viennois et praguois, le *Liberty* italien et l'Art nouveau français.
Il se distingua dans sa façon de se réapproprier un mouvement

plus vaste : la *Renaixença* (1878), ou retour à l'identité catalane. Des écrivains, musiciens, poètes mêlèrent leurs efforts à ceux des peintres et architectes pour faire du modernisme un art de vivre.

Les racines de l'Art nouveau catalan

Un retour aux origines passait par le glorieux passé catalan, l'époque conquérante médiévale dont on revalorisa les corporations d'artisans, la spiritualité et le goût pour le décor. Parallèlement, en Angleterre, préraphaélisme (1848), mouvement *Arts and Crafts* (1888) et symbolisme défendaient un art spirituel à préoccupation sociale. William Morris (1864-1896) relançait le travail artisanal, alors qu'en France Viollet-le-Duc (1814-1879) se passionnait pour les constructions médiévales.

Comment reconnaître le style moderniste ?

Au XIXe s., une architecture éclectique dominait la scène. On mélangeait les genres : un bâtiment pouvait être d'influences égyptienne, romane, mauresque, gréco-romaine, comme l'université (voir p. 65). Le néogothique eut également un franc succès. Les architectes modernistes se sont distingués par l'utilisation qu'ils firent de ces sources d'inspiration. Dans leurs œuvres,

la ligne sinueuse, l'asymétrie, le dynamisme, la richesse du détail, une esthétique raffinée ont la primeur.

Du lampadaire à l'enseigne

Le modernisme considère une création comme une « œuvre totale », intégrant tous les arts. C'est ainsi que collaborèrent ébénistes, mosaïstes, céramistes, bijoutiers, ferronniers, sculpteurs, maîtres verriers. Le souci du détail les guide, de la poignée de porte au revêtement en mosaïques, tout est étudié. Il ne faut pas hésiter à se glisser dans les halls d'immeubles modernistes pour se rendre compte du luxe ornemental employé.

« Au bonheur des dames »

Barcelone conserve quelque 200 boutiques et établissements publics de cette époque qui faisaient le bonheur des dames. Imaginez-les vêtues de

velours ou de damas, certaines entravant leur marche en liant leurs chevilles pour ne pas rompre la toile délicate de leurs jupes trop étroites… Nombre de magasins ont conservé une vitrine ou un comptoir : un décor souvent inspiré du règne végétal, de la femme ou d'une légende populaire. Tous les matériaux marient leurs couleurs pour créer une palette somptueuse.

MA JOURNÉE MODERNISTE

Réveil et petit déjeuner à l'**hôtel España** (voir p. 85). Promenade et emplettes : chocolatier **Figueras** (voir p. 42), philatéliste **Monge** (voir p. 123). Déjeuner à l'**Asador de Aranda** (voir p. 91) en terrasse ou aux **4 Cats** pour un café (voir p. 27) ; après-midi, rafraîchissement à l'**Hivernacle** (voir p. 53), un saut au **palais Macaya** (voir p. 117) pour une exposition temporaire et, enfin, soirée au **palais de la Musique** (voir p. 46 et 127) ou à l'**Auditori** (voir p. 126) pour un concert. Très intéressant aussi le « circuit moderniste » (renseignements offices de tourisme, voir p. 33).

Le design
dans tous ses états

« Barcelone, fais-toi belle », ce leitmotiv des années 1990 a entraîné dans la ville une avalanche de projets novateurs. Barcelone a choisi de cultiver son apparence. Au fil de vos promenades, vous découvrirez des sculptures en plein air, une signalisation pimpante, des cabines téléphoniques dernier cri : une forme d'art de la rue au quotidien. De la bande dessinée au portemanteau, rien n'échappe à cette fièvre créatrice, modernité et « catalanité » riment joyeusement pour le plus grand plaisir des yeux.

Une tradition ancestrale

La Catalogne est le fer de lance du design espagnol, pourquoi ici plus qu'ailleurs ? Les Catalans, lors de la découverte du Nouveau Monde, avaient été interdits, par mesure vexatoire des Castillans, de tout commerce avec les Amériques. Le Siècle d'or ne leur profita jamais et, très tôt, ils s'organisèrent pour produire leurs propres richesses. Une tradition

artisanale et familiale naquit et perdura ainsi à travers les siècles. C'est elle que l'on

retrouva au XIXe s., dans le textile en particulier, lors de la révolution industrielle (1830).

Pas de charbon mais des idées

Comme tous les pays dépourvus de matières premières (Japon, Suède, Suisse…), la Catalogne se spécialisa dans une industrie légère de transformation : textile, verre, céramique, cuir, métallurgie, bois, papier et arts graphiques… Le modernisme (voir p. 20) donna le coup d'envoi définitif aux corps de métiers employant ces matériaux. Il préconisait l'idée d'« œuvre totale », estimant qu'un architecte devait pouvoir tout créer. Cette conception de symbiose entre pierre et décor intérieur fut reprise dans les années 1950 par la génération d'architectes tels Oriol Bohigas, Josep Antoni Coderch et les designers comme André Ricard et Oscar Tusquets.

Les créateurs : touche-à-tout de génie

Difficile de classer ces artistes qui voyagent d'une discipline à l'autre : de l'architecture extérieure au design de l'« intériorisme » (architecture intérieure), en passant par le graphisme d'un logo. Le plus représentatif d'entre eux est peut-être ce jeune prodige de l'invention, Xavier Mariscal, qui crée céramiques, affiches, BD, armoires, chaussures, tapis… Sa mascotte des jeux Olympiques, Cobi, est devenue, comme lui, une star internationale.

Écoles et fondations

Après quarante années de franquisme, la ville a renoué allègrement avec sa vocation créatrice. On compte aujourd'hui sept écoles de design, organismes de promotion et fondations. L'organisation la plus prestigieuse et la plus ancienne est la FAD (fondation des Arts décoratifs), qui remet, chaque année, un prix au meilleur dessinateur. Une institution hors pair est la Caixa (voir p. 117), l'une des premières entités bancaires espagnoles : elle est un soutien omniprésent

pour la science et les arts, poursuivant ainsi une tradition de mécénat « fin de siècle » bien catalane (voir les Güell p. 28-29). Par ailleurs, tous les deux ans, au mois d'avril, la ville organise le « Printemps du design » : un circuit de galeries, de boutiques et de bars pour

être *in* dès les beaux jours ! Toujours se renseigner avant sur www.bcd.es

Spécialités maison

Vous voulez vous brancher design catalan ? Eh bien, faites votre choix : meubles formels ou lampes aux lignes loufoques de Mariscal et Cortès, fauteuil à coque de bois « Mantis » de Pep Bonnet, tissu d'ameublement de Mariscal par Marietta ou son tabouret « duplex » aux pieds ondulés et colorés. Plus sobre et indémodable, la lampe TMC (1961) de Milà exposée au MOMA, ou la Cocotte-Minute de Lluscà. Toutes ces créations ont la particularité de jouer avec différents styles et influences (italienne en particulier) pour inventer leur propre genre.
Un souci du détail, de la matière, de l'humour font qu'une immense poésie s'attache à chacun de ces objets.

TOTAL DESIGN

À coups de verrières, de pierres et de passerelle, la boutique **Bd Ediciones de Diseño** (Mallorca 291, Mᵉ Verdaguer, ☎ 93 458 69 09, www.bdbarcelona. com) est une heureuse cohabitation esthétique de deux sensibilités. La Casa Thomas, espace moderniste de Domènech i Montaner (1895), est conçue pour mettre en valeur une exceptionnelle sélection de créations du XXᵉ s. : meubles signés Gaudí, Le Corbusier, Frank Lloyd Wright et objets de designers actuels comme André Ricard, Ricardo Bofill, Philippe Starck…

Des créateurs
en vogue

Barcelone a toujours eu la réputation d'être une ville refuge pour les artistes, et cette réputation ne se dément pas. Si tout le monde s'accorde sur les valeurs sûres que sont Gaudí ou Mariscal, rares sont les personnes qui connaissent les jeunes créateurs, comme si le design barcelonais s'était arrêté aux années 1980. Il n'en est rien ! La ville fourmille d'une multitude de designers aux créations innovantes, surprenantes et… uniques.

À la recherche de l'authenticité

Les années 1980 ont été marquées par un véritable boom du design barcelonais. Ce mot était dans toutes les bouches et les rencontres débutaient inlassablement par cette question : « Tu fais du design ou tu travailles ? ». Avec les années 1990, on a mis de côté artifices et paillettes pour revenir à une tendance plus vraie. Le design n'est plus branché, il est authentique, simple et surtout plus proche de nos aspirations. Terminé le tape-à-l'œil et les couleurs criardes, et vive les matières naturelles et les coupes sobres.

Des bijoux pas comme les autres

Vous en avez marre des bracelets en or, des colliers de perles et des boucles d'oreilles en strass ? Les nouveaux créateurs barcelonais ont de quoi vous séduire. **Karin Wagner** s'est fait remarquer en mettant à l'honneur une matière longtemps oubliée, la feutrine (une sorte de feutre, plus légère et plus serrée). Résultat : des bijoux surprenants, comme ses bagues-fleurs aux couleurs douces. **Ana Hagopian** est une autre championne du détournement de matières. Ses bijoux, véritables œuvres

d'art, sont réalisés avec du papier recyclé plié, collé, coupé et teint à la main. Plus classiques, dans les matériaux utilisés, sont les créations de **Chelo Sastre**, qui ne cesse depuis quelques années de rechercher de nouvelles formes douces et suggestives. Enfin, comment ne pas parler de **Clara Uslé**, dont la première collection a été présentée en 1999 ? Elle est passée maître dans l'art d'appliquer des couleurs et des motifs sur l'or et l'argent.

Intérieur cosy

Les amoureux de déco d'intérieur seront comblés par les nouveaux venus. Qu'il s'agisse de vaisselle, d'objets, de meubles… l'authenticité reste à l'honneur. Les tapis de **Nani Marquina**, qui

combinent forme, texture et couleur créent un univers intime, élégant et contemporain. On retrouve cette atmosphère chez **Estudi Eulalia Coma**, avec notamment la vaisselle Blau Pics et ses motifs concentrés sur les bords des pièces. Même les tout-petits n'ont pas été oubliés par les jeunes créateurs, comme le prouve le « pack 1, 2, 3 » de

Virginia Pulm, dont les motifs semblent dessinés par des enfants.

Des vêtements de style

Les créateurs barcelonais n'habillent pas la femme, ils mettent son corps en valeur en privilégiant le lin, le velours, la soie ou le coton. C'est le cas de

Lydia Delgado, ancienne danseuse classique du ballet du Liceu, devenue une des plus prestigieuses designers actuelles. **Ruth**, quant à elle, est une des rares créatrices à ne s'adresser (pour l'instant) qu'aux enfants. Ses motifs brodés inspirés du monde végétal et animal sont vraiment uniques.

Antonio Miró

Voilà vingt-cinq ans qu'**Antonio Miró** habille les femmes et les hommes. Alors, pourquoi le classer dans cette catégorie de jeunes créateurs ? D'une saison à l'autre, Antonio Miró se renouvelle sans cesse et réinterprète à l'infini les classiques de la mode. Ses vêtements bien coupés et simples ont fait école. Des tissus naturels, des finitions soignées et ces petits détails design font la différence.

Miró, Picasso and Co
ou le brio d'un trio

Barcelone est inséparable du génie de trois grandes figures : Miró, Picasso et Tàpies. Ils ont, chacun à leur tour, fait vibrer leur palette pour rendre une image de la ville fidèle à leurs rêves. Tel un alchimiste, Miró métamorphose le monde en des symboles universels ; Picasso, le picador, croque fous et manants en quelques traits ; Tàpies, par des toiles évanescentes, approche l'art des plus grands calligraphes.

Joan Miró

Né à Barcelone en 1893 dans une petite rue au cœur même de la vieille ville, Miró est toujours resté très attaché à la Catalogne. Par des épures et des couleurs primaires, il met en place une esthétique universelle. Ses planètes, constellations, échelles de l'évasion invitent à une rêverie cosmique. Un petit tour par la fondation (voir p. 60) permet

une approche ensoleillée de son œuvre. On y découvre sculptures, lithographies et eaux-fortes, tapisseries, céramiques, décors de théâtre et masques. La ville est parsemée de monuments signés de sa main. Pour parfaire votre vision du maître, rendez-vous au musée de la Céramique (voir p. 67) et enfin prenez un cocktail détonant chez Boadas (voir p. 41) où il se rendait habituellement, et vous verrez le monde en bleu Miró !

Pablo Picasso

Né à Malaga, il a à peine 14 ans à son arrivée à Barcelone en 1895. Il y vécut sept ans, avant de s'installer à Paris en 1904. Ses années de formation se déroulèrent

Les Demoiselles d'Avignon, *Picasso*.

dans un climat fin de siècle très influencé par le modernisme (voir p. 20). Ses études de la Barceloneta, des marginaux du barrio Chino et ses premières œuvres de la période bleue (voir musée Picasso p. 47 et 71) reflètent la misère qui imprégnait cette Barcelone des années 1900. Il vivait plaça de la Merced avec ses parents et étudia à l'école des Beaux-Arts de la Llotja (voir p. 49). Plus tard, il prit un appartement au n° 36 Nou de la Rambla et fréquenta les cafés-concerts du barrio Chino (voir p. 45). Le titre de sa fameuse toile *Les Demoiselles d'Avignon* (1906) s'inspire d'un bordel de la carrer d'Avinyó que fréquentaient les marins du port voisin.

Antoni Tàpies

Il est difficile de séparer l'œuvre et la vie de cet artiste né en 1923. Toute sa création s'inscrit dans un engagement politique qui la met au centre de la réalité, celle de l'Espagne franquiste. Influencé par les mouvements dadaïste et surréaliste, Tàpies fait de son art un jeu libre et provocateur. À partir de 1956, ses peintures réinventent le monde en un étonnant langage de signes. Il évolue vers une abstraction, procédant par soustraction plutôt que par addition. Des icônes précieuses et les recherches chromatiques d'une grande subtilité dégagent un climat poétique. Pour mieux apprécier ce langage, prenez le temps de regarder le film proposé à la fondation Tàpies (voir p. 64 et 74). Enfin, sacrifiez quelques instants à Editiones T (voir p. 116), fondée par Tàpies, qui présente les jeunes talents catalans et étrangers.

CAFÉ 4 GATS

Il ouvrit ses portes en 1897, au rez-de-chaussée d'un édifice néogothique dessiné par l'architecte moderniste Puig i Cadafalch. Le nom de 4 Gats rendait hommage au *Chat Noir*, cabaret parisien que Pere Romeu, l'un des fondateurs du lieu barcelonais, connaissait pour y avoir travaillé. De 1897 à 1903, on vit s'y réunir les cénacles artistiques et littéraires du moment. Picasso dessina le menu de l'établissement et fit là sa première exposition en 1900.
C. Montsió, 3 bis – ☎ 93 302 41 40
T. l. j. 9h-1h.

Gaudí :
un utopiste au grand cœur

Antoni Gaudí est un architecte indissociable de l'idée que l'on se fait de Barcelone : à la fois visionnaire et iconoclaste, il incarne la cité de toutes les surprises et de tous les vertiges. Né en 1852, c'était un farouche nationaliste, misanthrope et dévot. La fin de siècle fut propice à l'éclosion de sa personnalité, un moment de pleine *renaixença* (renaissance) culturelle et politique, de prospérité économique et d'expansion urbaine soutenue par le mécénat d'une bourgeoisie éclairée soucieuse d'adopter les nouveaux courants européens.

Le parc Güell

Entre 1900 et 1914, Gaudí voulut créer une cité-jardin dans l'esprit des parcs à l'anglaise, contrepoint d'une industrialisation croissante

des villes. Son commanditaire, Eusebi Güell (voir encadré) se préoccupait de réformes sociales et de phalanstères. À l'origine, la zone était désertique. Gaudí refusa d'aplanir les irrégularités du sol et soumit son architecture aux injonctions du paysage. Des piliers de soutènement obliques donnent donc aux chemins des allures troglodytiques. Voir p. 81.

Une architecture caméléon

Par moments, la confusion s'installe, on ne sait plus

très bien où commence et où s'arrête l'intervention de l'homme. C'est une architecture caméléon qui se confond avec son modèle : la nature. Gaudí s'en est inspiré en tout. Sous des dehors apparemment fantaisistes, son travail est des plus rigoureux. Ces formes fantastiques ont été mises au point à l'aide de maquettes minutieuses.

Ce quartier résidentiel devait être loti de soixante parcelles : seules deux maisons, dont l'une, l'actuel musée Gaudí, furent construites. Le projet resta inachevé, car Güell redoutait d'y engloutir sa fortune. Aujourd'hui, les deux

pavillons d'entrée du parc public tiennent à la fois de la maison en pain d'épice et du Palais idéal du facteur Cheval : champignons hallucinogènes aux silhouettes mauresques et décor vernissé.

Une intégration réussie

Plus haut, des enfants chevauchent la gardienne des lieux, une salamandre aux écailles multicolores. Au-dessus, une place ourlée d'un banc ondulant, dont

les dossiers des sièges furent modelés à partir de corps humains, surplombe la ville. Josep Maria Jujol collabora à cette trouvaille. Ils employèrent des débris de céramique pour le décor, renouant avec la tradition arabe des azulejos, et devançant ainsi les collages dadaïstes ou cubistes.

Que l'on soit amoureux, sexagénaire ou gamin, il fait bon se perdre dans le dédale de ce parc onirique (Carretera del Carmel ; ☎ 93 315 11 11 ; t. l. j. 6h-23h en été, 6h-20h en hiver).

La Sagrada Família

« Ce n'est pas un gratte-ciel, c'est un gratte-idée » disait Jean Cocteau de cette dernière. En 1883, on posa la première pierre de ce temple, consacré à la Sainte Famille. Comme le Sacré-Cœur de Paris, c'est une église expiatoire construite grâce à des dons. Cette architecture symbolique et organique occupa Gaudí durant quarante ans. La seule façade qu'il termina, avant d'être écrasé par un tramway en 1926, est celle de la vie du Christ, à l'est. Ce bâtiment est devenu le symbole d'une Barcelone toujours en mutation.

Une église pas comme les autres

Grimpez en haut de la tour et vous découvrirez des flèches, fusées à claire-voie, qui se vrillent en queue de reptile avant d'éclater en croix florales. Une symphonie de pierre et de vent, que certains trouveront kitsch mais dont on ne peut qu'estimer la singularité et l'audace. « Vous avez dit bizarre ? »… À vous de juger (Entrée carrer de Sardenya ou carrer de Marina ; ☎ 93 207 30 31 ; t. l. j. 9h-18h d'oct. à mars et 9h-20h d'avr. à sept. ; accès payant – voir aussi p. 77).

LA FAMILLE GÜELL

Juan Antonio Güell se vantait de recevoir dans les salons de sa maison de Pedralbes tout ce que la Barcelone début de siècle comptait de « bonnes familles » : aristocrates, grands bourgeois, nouveaux riches, *indianos* aux fortunes mythiques. Ces derniers, auxquels appartenaient les Güell, symbolisaient des idées de réussite, de revanche sociale et de prestige dans les colonies espagnoles. De retour dans la métropole, ils montaient une affaire de textile et bâtissaient palais et parcs. Eusebi Güell, fils du fondateur de la lignée, se fit le mécène d'Antoni Gaudí et lui commanda de nombreux projets.

Visiter **mode d'emploi**

D'un côté la Sierra de Colserola, de l'autre le bleu de la Méditerranée, voilà des repères infaillibles : à Barcelone, il n'est pas difficile de s'orienter. Si un Catalan vous donne rendez-vous, il vous précisera le nom de la rue en disant le numéro côté mer ou côté montagne. L'Eixample, aux avenues tirées au cordeau, est de circulation aisée. Seuls les quartiers anciens sont plus resserrés, mais les clochers de la cathédrale, de Santa Maria del Mar ou de l'église del Pi serviront d'aiguille à votre boussole. N'hésitez pas à vous perdre dans le labyrinthe des ruelles médiévales de la vieille ville, vous ne vous égarerez pas longtemps et c'est ainsi que l'on fait les découvertes les plus insolites. À vos marques !

Se déplacer

Les quartiers anciens (Raval, Ribera, Gótico) se visitent à pied au gré des flâneries ; l'Eixample, quadrillé de grandes avenues, est desservi par des réseaux pratiques de bus ou de métro. Les taxis, les moins chers de l'Union européenne, sont nombreux. Ils sont particulièrement pratiques pour se rendre au parc Güell, à la Sagrada Família, ou à la périphérie de la ville.

SE REPÉRER

Retrouvez chacune des balades du Chapitre Visiter sur la carte générale de la ville placée en fin de guide grâce aux repères qui vous sont indiqués.

Renseignements transports publics

☎ 010 ou 93 318 70 74.

Objets perdus
Calle Ciudad, 9 (M° Jaume I)
☎ 010 ou 93 402 70 00.

Guardia Urbana
(service réservé aux touristes, en cas de vol, d'accident, de perte de documents) :
La Rambla 43,
☎ 93 344 13 00
Ouvert 24h/24.

Le métro

Climatisé et propre, il fonctionne du lundi au jeudi et le dimanche et fêtes de 5h30 à minuit, les vendredi et samedi jusqu'à 2h.
Il représente le mode de transport le plus rapide pour se déplacer dans Barcelone. Une ligne de train (Ferrocarril), qui dessert en particulier le Tibidabo, s'ajoute aux cinq lignes de métro numérotées et colorées. Dans la rue, des panneaux portant la lettre *M* entourée d'un losange rouge indiquent les stations.
Les logos RENFE ou FGC annoncent une correspondance avec le réseau ferroviaire national ou catalan. Le billet coûte 1,10 €, mais vous avez tout avantage pour un séjour à prendre une carte T1 (5,80 €) qui donne droit à dix trajets en métro et

bus, la T2 ne donnant accès qu'au métro. Par ailleurs, il existe des cartes *passes* d'un jour (4,40 €), 3 jours (11,30 €), 5 jours (17,30 €) pour bus et métro. L'achat des *passes* (il en existe aussi pour 2 ou 4 jours) se fait au bureau commercial des stations Universitat, Sagrada Família et à l'office du tourisme de la plaça de Catalunya et de la gare de Sants. Les points de connexion des lignes importantes sont Passeig de Gràcia, Catalunya, Diagonal.

L'autobus

De nombreuses lignes parcourent la ville. Les bus circulent de 6h à 23h, et certains fonctionnent jusqu'à 4h du matin *(Nit-Bus)*. Ils se distinguent par leurs numéros et vous pouvez consulter, dans les Abribus, les plans qui détaillent leurs trajets. Les plus pratiques sont le Tomb Bus qui va de la place de Catalunya à la place Pius XII. Il est plus cher mais passe toutes les 5 à 10 min. Il existe aussi un Tibibus qui

mène, toutes les demi-heures (à partir de 11h en semaine et 10h30 le week-end) de la place de Catalunya à la place du Tibidabo. Deux *Bus Turístic* (un rouge et un bleu) permettent de visiter la ville en trois heures et demie (circuits nord ou sud).
De mars à septembre, une troisième route verte « Forum » vous propose un circuit le long des plages à l'est du Port Oympique. Vous pouvez passer librement d'une route à l'autre aux arrêts communs.

Premier départ de la plaça de Catalunya à 9h. Ils passent toutes les 20 min jusqu'à 20h (pour un adulte 17 € 1 jour, 21 € 2 jours).

La voiture

Si vous avez loué une voiture, faites très attention à l'emplacement où vous garez votre véhicule. La fourrière municipale est redoutable et coûte très cher (90,15 €). Ne laissez pas en vue des objets de valeur. Les parkings à la journée sont sûrs (1,60 €/h ou de 17 à 20 € à la journée).

À VÉLO OU EN ROLLER

Le week-end, les Barcelonais louent couramment des bicyclettes ou des patins pour se promener sur les bords de mer ou sur la Diagonal. C'est la solution idéale pour accros du vélo et amateurs de balades insolites. Rendez-vous chez **Coche Menys** (voir p. 125.)

Avis
C. de Còrsega 293-295,
☎ 93 237 56 22.
Europcar
Av. de les Gran Via Corts
Catalanes, 680
☎ 93 302 05 43.
Hertz
C. de Tuset, 10
☎ 93 217 80 76.

Les taxis
Les 11 000 taxis jaune
et noir pullulent ;
une lumière verte
vous indique leur
disponibilité. Ce moyen
de transport reste très
abordable et il est rare
que l'on vous refuse une
course même très courte.
Plus de 1 000 taxis acceptent
même les cartes de crédit.
Il faut compter 1,80 €
pour la prise en charge
(3 € si vous avez téléphoné).
Bagages, transfert à l'aéroport
ou animaux donnent lieu
à des suppléments.

Barna taxi
☎ 93 357 77 55.
Radio Taxi
☎ 93 225 00 00.

Le train
Pour vous rendre à Sitges
(voir p. 68), il suffit de
prendre le train à la gare de
Passeig de Gràcia (station
RENFE) ou à la gare de
Sants. De 5h30 à minuit
circulent tous les quarts
d'heure des trains climatisés
qui vous conduiront en
35 min à cette délicieuse
station balnéaire. N'oubliez
pas de composter votre
ticket, sous peine d'amende !
Pour tout renseignement

complémentaire, consultez :
www.renfe.es

Comment téléphoner ?

Comme chez nous, le système
du téléphone est distinct

de l'administration postale.
Pour téléphoner en France,
il faut composer le 00 33
puis votre numéro, duquel
vous aurez retranché le 0.
De France, pour obtenir
Barcelone, il faut composer
le 00 34 puis le numéro
à neuf chiffres de votre
correspondant. Les cabines
publiques se reconnaissent
à leur design moderne et
à leur couleur bleu et vert.

Les tarifs des communications
sont très élevés, et vous
n'aurez jamais assez de pièces
de monnaie pour appeler
l'étranger. Achetez plutôt
des cartes (de 6 ou 12 €)
dans les bureaux de tabac.
Sinon adressez-vous aux
locutorios telefónicos,
cabines disponibles
dans la gare de Sants
du lundi au samedi de 8h
à 22h30, le dimanche
de 9h à 22h30.
Pour vous simplifier la vie,
vous pouvez demander
la **carte France Telecom**
qui permet de téléphoner
dans le monde entier à partir
d'un poste ou d'une cabine.
Le montant de vos
communications est débité
sur votre compte téléphonique,
au tarif français. Pour
plus de renseignements
et pour vous abonner,
appelez gratuitement le
numéro vert 0 800 202 202
ou consultez
www.agence.francetelecom.com

Poste

Oficina Central
Pl. António López
☎ 902 19 71 97.
M° Barceloneta ou Jaume I.

L'HEURE LOCALE

Il est la même heure en France qu'en Espagne.
En revanche, si vous voulez vivre à l'heure catalane,
sachez que les repas sont servis sensiblement plus
tard (13h30-15h pour le déjeuner, 22h pour le dîner),
les magasins ferment généralement entre 14h et 16h
(voir p. 94), les banques et les musées sont souvent
ouverts toute la journée (jusqu'à 19h ou 20h), mais
suivent parfois les horaires des magasins et ferment
entre 14h et 16h. La poste centrale est ouverte de 8h
à 22h (voir p. 33), et les bars de nuit ne commencent
à frémir qu'à partir de 1h du matin (voir p. 125).

HORAIRES D'OUVERTURE

Les musées sont généralement ouverts de 10h
à 20h et ferment le lundi et le dimanche à 14h,
exception faite de la fondation Tàpies (dim. 20h) et
du monastère de Pedralbes qui ferme tous les jours
à 14h. Les horaires sont les mêmes été comme hiver,
sauf à la Galerie olympique.
Les entrées sont payantes et oscillent entre 3 et
6 € par personne. Certains musées combinent
leurs entrées, renseignez-vous avant de prendre
votre billet, sinon, utilisez la *Barcelona Card* (voir
ci-dessous). Achetez dans un kiosque *La Guía del
Ocio*, qui recense expositions, concerts, spectacles
et renseigne avec beaucoup de précision sur
les fermetures inopinées et les horaires de visite
des grands monuments.

En bas de la Via Laietana
s'élève, imposant, le bureau
central des Postes, ouvert
du lundi au vendredi de
8h à 21h30, le samedi de
8h30 à 14h. Les timbres pour
l'Europe coûtent 0,53 € et
pour l'Espagne, 0,28 €.
On peut les acheter dans
les *estanques* ou tabacs.
Les grosses boîtes aux lettres
jaunes, placées aux carrefours,
sont facilement repérables.
Il faut compter trois à quatre
jours pour que votre courrier
arrive en France.

Offices de tourisme

Turismo de Barcelona
Pl. de Catalunya, 17 (sous-sol)
☎ 90 207 66 21
Lun.-sam. 10h-19h,
dim et j. f. 10h-14h.
Situé au centre de la plaça
de Catalunya, en face
du Corte Inglés, ce bureau
est aussi un « centre du
modernisme » et propose
des visites spécialisées sur ce
thème, en plus des services
généraux d'un centre
d'informations touristiques.
Les offices de tourisme suivants
vous donneront

plans et informations sur
la ville (demandez en
particulier les brochures
thématiques sur Miró, le
modernisme, Gaudí, le nouvel
urbanisme, Quadrat d'Or…).
Vous aurez la possibilité de
vous adresser à un personnel
polyglotte qui pourra vous
fournir de nombreux
renseignements. Vous pourrez
également acheter une
Barcelona Card qui facilitera
votre séjour : transports
gratuits, jusqu'à 50 % de
réduction sur des musées,
des restaurants et des
spectacles. Pour un adulte,
la carte coûte 17 € pour un
jour, 20 € pour 2 jours, 24 €
pour 3 jours, etc…

Pour l'ensemble des bureaux
d'information dont les
adresses et les horaires suivent,
un seul numéro (souvent
occupé) : ☎ 807 117 222,
ou le ☎ 93 285 38 34 depuis
l'étranger. N'hésitez pas
à contacter aussi les offices
de tourisme aux numéros
indiqués ci-dessous :

À l'aéroport :
T. l. j. 9h-21h.

Dans la gare de Sants :
Lun.-ven. 8h-20h ; sam.-dim.
et j. f. 8h-14h ; pendant l'été
t. l. j. 8h-20h
☎ 93 411 81 89.

Sur la Rambla :
Palau de la Virreina
la Rambla, 99,
☎ 93 301 77 75
Lun.-sam. 10h-20h,
dim. 11h-15h.
Tous les renseignements sur
les manifestations culturelles
du moment.

Plaça Sant Jaume :
Carrer de la Ciutat, 2
Lun.-sam. 10h-20h,
dim. 10h-14h.

De juin à septembre, des
hôtesses en uniforme rouge
et blanc avec un badge « i »
se placent dans les lieux
stratégiques et pourront vous
donner des renseignements.

Visiter Barcelone
et ses incontournables

Pour faciliter votre découverte de la ville, nous vous proposons 10 balades dans Barcelone, toutes illustrées par une carte. Vous trouverez également une balade à Sitges, station balnéaire branchée des environs de Barcelone. Si vous disposez de peu de temps, voici une sélection de 12 incontournables, à ne manquer sous aucun prétexte. Ils sont tous évoqués au fil du guide et vous les retrouverez aussi de manière plus détaillée, sous forme de fiches, à la fin du chapitre Visiter.

Museu Nacional d'Art de Catalunya

Le MNAC recèle de véritables trésors d'art médiéval… À conseiller aux amoureux d'art gothique et d'art roman.
Voir visite n° 8, p. 59 et Incontournable p. 73.

Fundació Tàpies

La fondation met bien sûr l'accent sur le travail d'Antoni Tàpies, mais son centre de recherches offre aussi une ouverture passionnante sur l'art et les artistes du XXᵉ s.
Voir visite n° 9, p. 64 et Incontournable p. 74.

ne vaut une visite dans les somptueux édifices qui abritent le musée.
Voir visite n° 4, p. 47 et Incontournable p. 71.

Museu d'Art Contemporani

Depuis le bâtiment jusqu'aux expositions temporaires, ce musée est un hymne à l'art barcelonais de notre époque.
Voir visite n° 3, p. 44 et Incontournable p. 72.

Museu d'Història de la Ciutat

Une véritable plongée au cœur de la vie quotidienne de l'ancienne Barcelone. Des reconstitutions incroyables vous permettent de revivre deux mille ans d'histoire.
Voir visite n° 1, p. 37 et Incontournable p. 70.

Museu Picasso

Pour découvrir ou redécouvrir ce peintre mythique, rien

Fundació Thyssen-Bornemisza

Le monastère de Pedralbes n'accueille qu'une partie du fonds exceptionnel Thyssen-Bornemisza. Les plus grands artistes européens du XIIIe s. au XXe s. y sont représentés (Fra Angelico, Velázquez, Rubens…).

Voir visite n° 10, p. 67 et Incontournable p. 75.

Fundació Joan Miró

La collection de la fondation, principalement consacrée à Miró, est tout à fait extraordinaire. Ne manquez pas non plus les jardins et la terrasse : des œuvres de l'artiste ainsi qu'une vue splendide sur Barcelone vous y attendent.

Voir visite n° 8, p. 60 et Incontournable p. 76.

La Catedral

Dédiée à sainte Eulalie, l'une des deux patronnes de la ville, la cathédrale est le centre des fêtes et traditions religieuses de Barcelone.

Voir visite n° 1, p. 36 et Incontournable p. 78.

Santa Maria del Mar

Sobre et élégante, d'une unité de style remarquable, cette église est servie par un cadre original… La qualité acoustique en fait un lieu de concert à part.

Voir visite n° 4, p. 48 et Incontournable p. 79.

La Sagrada Família

Vous ne pourrez pas échapper à ce symbole de Barcelone, le monument le plus célèbre de Gaudí. Attendez-vous à être surpris par cette œuvre en permanente évolution.

Voir Découvrir p. 29 et Incontournable p. 77.

Palau de la Música

Bien culturel du Patrimoine mondial de l'Unesco depuis 1997, ce bâtiment fut lui aussi édifié sur le site d'un monastère. La salle de concert, éclairée par la lumière naturelle, est unique.

Voir visite n° 4, p. 46 et Incontournable p. 80.

Parc Güell

Havre de paix et de verdure, le parc Güell révèle la variété des talents de Gaudí. Au sein de cet univers théâtral et fantastique, laissez-vous aller à visiter la Casa Museu Gaudí.

Voir Découvrir p. 28 et Incontournable p. 81.

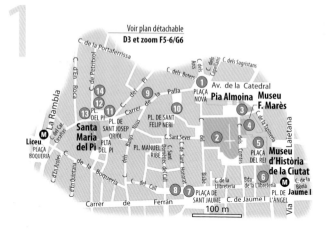

Voir plan détachable
D3 et zoom F5-6/G6

Le barrio Gótico,
à l'ombre de l'Histoire

Selon l'humeur du jour, perdez-vous dans ce lacis de ruelles resserrées et humides, et chinez chez les antiquaires de la rue Banys Nous. Une odeur de naphtaline saisit le curieux chez une revendeuse de plumes et de rubans. Au coucher du soleil, la façade de la cathédrale s'illumine de tous ses feux. Il est l'heure de se restaurer, sur la place del Pi, d'une *tortilla*, une omelette onctueuse, arrosée d'une *horchata* (sirop d'orgeat) glacée.

❶ Plaça Nova★★

C'est ici qu'est née la ville antique : Barcino. Ces lettres sont sculptées sur la place. Les vestiges de la muraille (IVe s.) en témoignent : deux tours romaines flanquent la porte del Bisbal. Sur l'une d'elles, une niche a été creusée, elle est consacrée à saint Roch, protecteur des lieux, que l'on

célèbre le 16 août en dressant des mâts de cocagne. Marchés aux antiquaires (jeu. 9h-20h), fêtes de l'avent, sardanes dominicales se déroulent ici. La façade baroque (XVIIIe s.) du palais épiscopal ennoblit le décor. On ne peut pas en dire autant du collège des Architectes (1961) dont Picasso a gravé la frise.

❷ La Catedral★★★

Voir Incontournable p. 78
☎ 93 342 82 60
T. l. j. 8h-13h15 et 16h30-19h
Accès gratuit à la cathédrale ; accès payant à la terrasse, au musée et au chœur (visites ap.-midi).

La splendide façade gothique date en fait… du XIXe s. ! La cathédrale, dédiée à sainte

Eulalie, fondée au XIIIe s. et achevée au XVe s., a ses lettres de noblesse : elle abrite de précieux objets de culte comme le fameux *Christ de Lépante* (XVIe s.) qui se serait trouvé sur le navire amiral espagnol de Don Juan d'Autriche lors de la décisive victoire contre les Turcs en 1571. Les fonts baptismaux auraient sanctifié les six premiers Indiens amenés par Christophe Colomb, en 1493. Alléluia… Le cloître est délicieux, planté d'orangers, de magnolias, de néfliers et de palmiers. C'est une oasis de fraîcheur et un havre de paix parfois troublé par les cris de treize oies : leur nombre symbolise l'âge d'Eulalie lors de son martyre.

❸ Pia Almoina et Musée diocésain★★

Av. de la Catedral, 4
☎ 93 315 22 13
Mar.-sam. 10h-14h et 17h-20h, dim. 11h-14h
Entrée payante.

À côté de la cathédrale, cette institution médiévale faisait quotidiennement l'aumône d'un repas à cent pauvres, Restaurant du cœur avant la lettre… Son aménagement subtil en Musée diocésain est

très réussi. N'hésitez pas à en franchir les quelques marches.

❹ Museu Frédéric-Marès★★★

Plaça Sant Iu, 5-6
☎ 93 310 58 00
Mar.-sam. 10h-19h, dim. 10h-15h
Entrée payante sf mer. à partir de 15h et le 1er dim. du mois.

Aux beaux jours faites une pause dans le patio, tables et rafraîchissements vous y attendent. Le musée propose

un panorama de la sculpture espagnole du Moyen Âge au XIXe s. Si les Vierges à l'Enfant et les Descentes de croix vous lassent quelque peu, grimpez dans les étages : pipes de bruyère, oignons, binocles, ombrelles et éventails vous raviront.

❺ Plaça del Rei, Tinell et chapelle Sainte-Agathe★★★

☎ 93 315 11 11
Mar.-sam. 10h-14h et 16h-20h, dim. 10h-14h
Entrée payante.

C'est l'ensemble médiéval le plus remarquable de la ville, siège du pouvoir comtal. Empruntez les marches du palais pour accéder à la salle du Tinell (dressoir, vaisselier), splendide salle du trône du XIVe s. C'est ici que les Rois Catholiques en visite à Barcelone reçurent Christophe Colomb à son retour du Nouveau Monde en 1493. Aux murs, des fresques du XIIIe s. illustrent la période de la grandeur catalane. La chapelle palatine Sainte-Agathe (XIVe s.) est ornée du prestigieux *Retable du Connétable* (XVe s.) de Jaume Huguet. Du haut du mirador du roi Marti, le regard se perd dans le dédale des ruelles dominées par une kyrielle de clochers.

❻ Museu d'Història de la Ciutat★★

Voir Incontournable p. 70
Pl. del Rei
☎ 93 315 11 11
Billet d'entrée commun avec le Tinell.

Par un palais gothique, vous accédez à une crypte

archéologique qui évoque l'habitat et les activités économiques de la Barcino antique. Sous la cathédrale, on a découvert les ruines d'une basilique paléochrétienne. Voilà une facette méconnue de Barcelone qui se révèle ici. Une visite à faire absolument.

❼ Plaça de Sant Jaume★★

Sur cette place, centre institutionnel de la ville, on trouvait dans l'Antiquité le *forum*, place publique où se jouait toute la vie quotidienne et politique. Le nom de « Jaume » (prononcez *Jaouma* : Jacques) lui vient de l'église qui s'élevait ici jusqu'en 1824. Aujourd'hui, la mairie *(Ayuntament)* et la province de Catalogne *(Generalitat)* s'y affrontent politiquement. Au moment des fêtes populaires (Sant Jordi, Mercè, voir p. 12-15) les *castells*, échafaudages d'acrobates superposés,

défient les lois de l'équilibre. Trois drapeaux flottent au vent, ceux de l'Espagne, de la ville et de la Catalogne.

❾ Xarcuteria Xaloc
C. de la Palla, 17
☎ 93 301 19 90
Lun.-dim. 9h-minuit.

Charcuterie ou restaurant ? Les deux mon commandant ! Dans un cadre tendance new-yorkaise – murs et plafonds bordeaux et gris, tables foncées... – dégustez de délicieuses assiettes de charcuterie variée, fromages catalans savoureux ou tapas du jour,

accompagnés d'une bonne bouteille de vin. Cela vous a plu ? Faites vos courses avant de partir...

❿ Plaça de Sant Felip Neri et Musée de la Chaussure★★
Pl. de Sant Philippe Neri
☎ 93 301 45 33
Mar.-dim. 11h-14h
Entrée payante.

Petite place ombragée, oubliée des visiteurs pressés, elle occupe l'emplacement d'un ancien cimetière. La façade baroque de l'église et deux maisons du XVIe s. créent un ensemble harmonieux. On reconnaît les enseignes des corporations des cordonniers et des chaudronniers : le lion de saint Marc et deux cuillers. Dans le musée de la Chaussure, vous ne pouvez manquer le pied de 1,22 m qui a servi de modèle au monument de Colomb.

⓫ La plaça del Pi et son église★★★
T. l. j. 9h-13h et 17h-20h30
Entrée libre.

L'église del Pi est un parfait exemple du gothique catalan (XIVe s.). La place plantée d'un pin *(pi)* est délicieuse. Il y fait bon, l'été, s'installer en terrasse, et siroter un café

❽ LE CALL

Le Call (ruelle), ou ghetto, évoque l'une des facettes les plus florissantes de la Barcelone médiévale : celle de l'*aljama*, ou « communauté juive ». En retrouver les traces relèverait d'une démarche kabbalistique, il faudrait pouvoir lire à travers les pierres. Le pogrom meurtrier de 1391 mit tout ce quartier à feu et à sang. Il n'en subsiste rien hormis la mémoire des ambassadeurs, interprètes, financiers, astronomes, alchimistes ou encore médecins de grand renom que ce quartier donna à la ville. Seules les rues du Call, Sant Ramon del Call et St Domenec del Call témoignent du passé.

glacé, bercé par le son d'un saxo amateur. L'hiver pendant l'avent, les façades scintillent de mille feux. Un petit air bohème donne tout son charme à l'endroit.

⑫ Estamperia d'Art
Pl. del Pi, 1
☎ 93 318 68 30
Lun.-sam. 10h-13h30 et 16h30-20h.

Une boutique aux allures d'autrefois, dans laquelle vous rencontrerez un imprimeur passionné d'œuvres muséographiques. Retrouvez tous vos classiques préférés

de musées locaux, nationaux et même internationaux, reproduits en cartes postales

et affiches de toutes tailles. Vous pouvez même demander à les faire encadrer.

⑬ Daniela Yavich
Pl. del Pi, 4
☎ 93 342 85 10
Lun-sam 10h-14h et 16h-20h30.

Sur la plaça del Pi, à côté de la devanture moderniste d'un immense coutelier, cette jeune styliste argentine cultive des collections de vêtements ultra-féminins, à la fois tendance et faciles à porter. Les matières sont fluides et naturelles, les coupes gracieuses et confortables. Avec toujours *le* détail qui fait tout, sur l'endroit ou sur l'envers…

⑭ La Granja Dulcinea★
C. de Petritxol, 2
☎ 93 302 68 24
Lun.-dim. 9h30-13h et 16h45-21h.

Une *granja*, c'est un salon de thé… sans thé. Les produits frais de la ferme sont à l'honneur à la Granja Dulcinea. La maison recommande son *suisso con ensaimada* : un chocolat épais couvert de crème Chantilly accompagné d'une pâtisserie majorquine, tout cela sous le regard compréhensif du grand-père épinglé au mur. N'ayez aucun scrupule, les Barcelonais pratiquent ces gourmandises de 7 à 77 ans !

2

La Rambla,
paradis du paseo

Ronda de Sant Pere

C. de Bergara

C. de Peial

C. dels tallers

C. de Galaters

PLAÇA DE CATALUNYA

Catalunya Ⓜ

100 m

Av. del Portal de l'Angel

❶

PL. DE RAMON AMADEU

❷

PL. DELS BONSUCCÉS

C. de Sta Anna

R. dels Estudis

La Rambla

C. del Pintor Fortuny

❸

PL. DE LA VILA DE MADRID

Església de Betlem

P. de la Virreina

❹

C. de la Portaferrissa

Palau de la Virreina

❺

❽

C. d'En Roca

C. de l'Hospital

❼

❼ Ⓜ **Liceu**

Gran Teatre del Liceu

C. de Sant Pau

❻

❾

C. de la Unió

❶❶

C. de Ferràn

R. dels Caputxins

❿

C. Nou de la Rambla

❶❷

PLAÇA REIAL

❶❸

Ptge de Bacardi

❶❹

C. de Lancaster

C. dels Escudellers

C. de l'Arc del Teatre

PL. DEL TEATRE

Centre d'Art Santa Mònica

❶❺

Ⓜ **Drassanes**

Av. de les Drassanes

R. de Sta Mònica

Ⓜ **Drassanes**

C. de Josep Anselm Clavé

PL. DEL PORTAL DE LA PAU

Voir plan détachable
D2/C2-3 et zoom F5-6

Le pouls de la ville bat sur la Rambla. Ne prenez surtout pas un air affairé, on vient ici pour musarder.

Cette artère populaire satisfait tous les curieux. À l'aube, les harengères de la Boqueria s'empoignent hardiment et les perruches leur font écho. Des petites vieilles, filet à la main, trottent du marché à l'église de Betlem, refuge des bigotes. Des joueurs de bonneteau et des saltimbanques improvisés soutirent de l'argent aux badauds. Tout est prétexte à commenter : du prix des canaris mâles au scandale de l'incendie du Liceu, rien ne vous sera pargné…

❶ La plaça de Catalunya★

Cette place large et irrégulière, née de la démolition des remparts (1854), fait communiquer la vieille ville avec l'Eixample (XIXᵉ s.). Aménagée en 1925, elle est le centre névralgique du quartier : Corte Inglés, banques, hôtels… Le dimanche, des chaisières vendent des graines de tournesol (*pipas*) pour nourrir les pigeons.

❷ Boadas★

C. dels Tallers, 1
☎ 93 318 88 26
Lun.-sam. 12h-2h.
Ce bar, cuivre et acajou,
est une institution au coin
des Ramblas : politiciens
et intellectuels y ont leurs
habitudes. Depuis 1933,
la maison leur prépare les
meilleurs cocktails de la
ville : *mojito*, *margarita*, *dry
Martini*. Boadas, le fondateur,
en a appris les secrets à La
Havane, et le barman manie le
shaker d'un air entendu…

❸ Església de Betlem★★★

La Rambla, 107
T. l. j. 7h45-21h.
Une façade aux envolées
baroques : saint Ignace
de Loyola est en grande
conversation avec saint
François Borgia. Commencée
en 1681, l'église forme le
noyau de bâtiments occupés
par les jésuites jusqu'à leur
expulsion en 1767. L'intérieur
a malheureusement brûlé
pendant la guerre civile
en 1936. Le matin, le soleil
rasant donne un éclairage
théâtral à l'un des uniques
ensembles baroques de la ville.

❹ Palau de la Virreina★★★

La Rambla, 99
☎ 93 316 10 00
Mar.-ven. 11h-14h et 16h-
20h, dim. 11h-15h
Entrée payante.

C'est la vice-reine du Pérou
qui l'occupa après la mort de
son mari, d'où son nom.
Le palais ennoblit le quartier
au XVIIIe s., puis devient le
siège d'expositions d'arts
décoratifs. Empruntez
l'escalier d'honneur pour
découvrir le splendide décor
à la française.

Plaça Reial.

❺ Casa Beethoven★★

La Rambla, 97
☎ 93 301 48 26
Lun.-ven. 9h-14h
et 16h-20h, sam. 9h-13h
et 17h-20h.

Son propriétaire est pianiste,
les étagères et les comptoirs
en bois exhalent un doux
parfum de résine. Entrez donc
dans cette boutique et vous
comprendrez comment, depuis
presque un siècle, on réunit ici
des partitions en tout genre.
Sardanes, bossa-nova, samba,
rumba donnent le change
à De Falla et Schubert.
La vendeuse est incollable.

❻ Paramita

La Rambla, 88
☎ 933 426 533
T. l. j. 10h-21h30.

La très touristique Rambla
regorge de magasins de T-shirts
et autres babioles-souvenirs.
Mais attention à ne pas mettre
les vêtements Paramita dans
le lot ! Quitte à rapporter un

T-shirt, optez plutôt pour cette marque andalouse aux couleurs vives et aux motifs bariolés semblant sortir d'albums de bandes dessinées. Que de gaieté, olé !

❼ Antiga Casa Figueras – Escribà★★

La Rambla, 83
☎ 93 301 60 27
Lun.-dim. 8h30-21h.

Une adresse incontournable ? La maison Escribà, héritière d'une famille de célèbres pâtissiers catalans, fête plus de quatre-vingt-dix ans de délices. Cela sent toujours aussi bon puisque les truffes, les tablettes de chocolat amer et les palets sont fabriqués

sur place. Admirez l'enseigne *pastas alimenticias* et l'extraordinaire décor moderniste : sculptures, mosaïques, vitraux, tous les arts appliqués font la fête aux gourmands.

❽ Le marché de la Boqueria★★★

La Rambla, 85-89
T. l. j. sf dim. 6h-21h30.

Rien ne vaut une balade dans cette halle (1860). Les cinq sens sont en éveil. Les Barcelonaises prennent leur tour en papotant, les poissonnières parées de leurs coquets tabliers interpellent le chaland. Laissez-vous enivrer par ces étalages de produits frais, installez-vous *a la barra* (sur le zinc) du Pinocho (6h-18h) pour déguster des tripes à la catalane. Et savourez cette tranche de vie…

❾ Gran Teatre del Liceu★

La Rambla, 51-59
☎ 93 485 99 14
www.liceubarcelona.com
Visites : 10h, 11h, 11h30, 12h, 12h30 (v. guidées à 10h uniquement).

Symbole de la Barcelone bourgeoise et industrielle du XIXᵉ s., l'opéra, construit

en 1844, brûle une première fois en 1861. Il est rebâti et disparaît à nouveau dans les flammes en 1994. Vous pouvez désormais retrouver la splendeur du théâtre et de ses programmations.

❿ Hotel Oriente★

La Rambla, 45
☎ 93 302 25 58.

Il conserve le cloître du collège Saint-Bonaventure sur lequel il a été construit. Au temps de sa splendeur, il accueillit Andersen, Hemingway, des acteurs d'Hollywood et de grands toreros. Au XIXᵉ s., l'établissement figurait encore parmi les plus grands hôtels d'Europe. En 1975, Antonioni y filma *Profession : reporter* avec Jack Nicholson.

⑪ Café de l'Opéra★

La Rambla, 74
☎ **93 317 75 85**
T. l. j. 9h-2h.

En face du Liceu, ce bar est installé depuis 1929 dans l'ancienne chocolaterie La Mallorquina. Les chaises Thonet et les miroirs ternis lui confèrent une atmosphère particulière. Des *tertulias*,

discussions à bâtons rompus, s'y déroulent en permanence sur le jazz ou sur la médecine douce. C'est ici que les romanciers latino-américains se réunissent. Ils sont nombreux à avoir été accueillis à Barcelone dans les années 1960, et la ville les édite avec ferveur.

⑫ Herbolari Farran★★

Plaça Reial, 18
☎ **93 304 20 05**

RAMBLA ?

« Rambla » vient de l'arabe *ramla*, qui signifie « sable ». L'avenue s'est en effet glissée dans l'ancien lit d'un torrent. Elle a servi de limite occidentale à la ville jusqu'au XIVᵉ s. Elle marque l'emplacement d'un rempart du XIIIᵉ s. dont les portes Santa Anna, Portaferissa, Boqueria, Drassana permettaient l'accès à la cité. Des lampadaires à six branches sur le paseo indiquent l'entrée de ces portes. Une mosaïque d'azulejos, au début de la rue Portaferissa, illustre le tracé de ces murailles.

Lun.-ven. 9h30-14h et 16h30-20h, sam. 10h-14h.

Empruntez le joli passage Bacardí pour vous rendre chez cet herboriste hors pair. Ici les plantes respirent le bien-être et la santé. Vous trouverez tisanes curatives, huiles essentielles et un choix insoupçonné de préparations miracles.

⑬ Plaça Reial★★

Sous les arcades du XIXᵉ s., c'est le paradis des calamars à la romaine, des vendeurs de « *chocolate* » (haschisch), des amateurs de timbres (marché le dimanche matin), des chiromanciennes, cireurs, artistes, flics et vagabonds. De la terrasse du restaurant Les Quinze Nits, vous pourrez observer les saynètes en tout genre qui se jouent sur la place. Admirez les lampadaires, ils sont une œuvre de jeunesse de Gaudí.

⑭ Les Quinze Nits★

Plaça Reial, 5
☎ **93 317 30 75**
Ouv. t. l. j.

Pépite du qualité-prix et de la situation : sous les arcades de la plaça Reial, il réunit les qualités du bon, beau et abordable. Le menu à 7,60 € est l'une des bonnes pioches du moment : ne faites pas l'impasse.

⑮ Centre d'Art Santa Mònica★

La Rambla, 7
☎ **93 316 28 10**
Mar.-sam. 11h-19h45, dim. 11h-15h45
Entrée libre.

Ce couvent du XVIIᵉ s. conserve son cloître. En 1988, Pinon et Vialplana l'ont transformé en centre d'art contemporain. Un mariage plus ou moins heureux entre deux architectures… Mais la librairie spécialisée en design est bien approvisionnée.

3

Le Raval,
aventures
au faubourg

Centre de Cultura
Contemporània
de Barcelona ①

Museu d'Art
Contemporani ②

Voir plan détachable
C3 et zoom F5

Carrer de Ferlandina
PL. DELS
ÀNGELS ③ C. d'Elisabets

Carrer de la Lluna
C. de Joaquín Costa
del Peu
de la Creu
C. dels Àngels
D. Dou

C. de la Riera Alta

Carrer   del
Carme
Hospital de
la Sta Creu ⑤

Carrer de la Cera
C. d'en Roig
C. de les Egipcíaques

C. de l'Aurora
de   l'Hospital
C. de les Floristes
de la Rambla

C. de les Carretes
C. de la Riereta
C. de
Santa Elena

Rambla   del   Raval
C. de Sant Rafael
C. de Sadurní
C. de Robadors
C. de Junta de Comerç
PL. DE STA
AGUSTÍ
C. de l'Arc de
Sant Agustí

Carrer   de   Sant
PL. DE
S. SEGUI
Pau

⑦ Sant Pau
del Camp
C. del Marqués de Barberà
C. de la Unió

Carrer   Nou   de   la   Rambla
Palau ⑥
Güell

100 m

Plus connu sous le nom de barrio Chino, le Raval fascine depuis toujours les artistes : domaine des travestis, des prostituées, des maquereaux à moustache cirée, des commerces interlopes. La proximité du port donne à ce quartier un parfum d'amour tarifé. Il incite à la flânerie avec ses boutiques surannées aux peintures écaillées tenues par de vieilles dames en tablier à carreaux. Depuis quelques années, des institutions culturelles lui donnent un lustre nouveau. N'ayez pas peur de vous y perdre…

❶ Centre de Cultura Contemporània de Barcelona (CCCB)★★

C. de Montalegre, 5
☎ 93 306 41 00
Mar., jeu., ven. 11h-14h et 16h-20h, mer. et sam. 11h-20h, dim. 11h-20h
Entrée payante.
Parfait exemple d'art contemporain au milieu des vieilles pierres, cet ancien couvent (XIVᵉ s.) accueille des expositions d'urbanisme. L'exceptionnel patio (1743) est couronné par la surprenante façade (1993) de Vialplana et Pinon. Le Raval se reflète dans ses vitres fumées, découvrez-le aussi du haut du belvédère.

❷ Museu d'Art Contemporani (MACBA)★★★

Voir Incontournable p. 72
Pl. dels Àngels, 1
☎ 93 412 08 10
Lun.-ven. 11h-20h (19h30 en hiver), sam. 11h-21h (20h en hiver), dim. 10h-15h30 (15h en hiver)
Entrée payante.

L'architecte R. Meier, pape de la blancheur et de la pureté, signe ici une nouvelle performance. Contraste absolu entre cet éclatant paquebot et les façades voisines où le linge pend aux fenêtres. La boutique présente une jolie sélection des créateurs catalans : assiettes de

Mariscal (env. 40 €) et Peret, lignes de bureau de A. Miró, dessous-de-plat *rajoles*…

❻ Palau Güell★

C. Nou de la Rambla, 3-5,
☎ 93 317 39 74
F. pour rénovation
jusqu'en 2007.

Ce palais insolite a été
construit en 1888 par
Antoni Gaudí. Il répondait
à une commande d'une
riche famille d'industriels :
les Güell, qui furent ses
mécènes. Sa visite vous
mènera dans un décor
intérieur fin de siècle.
Sa façade aux arcades
paraboliques résume
tout l'art du fer forgé.
Le nationalisme fervent
de l'architecte est présent :
un aigle retient le blason
de la Catalogne.

❸ Huno

C. d'Elisabets, 18
☎ 93 412 63 05
Lun.-sam. 10h30-14h et
16h30-21h.

Les environs du MACBA
recèlent de nombreuses
boutiques de créateurs
tendance, pour le plus grand
bonheur des amatrices d'art
contemporain. Direction
carrer d'Elisabets où nous
vous recommandons
ce trésor de magasin
pour son choix raffiné
de créateurs, espagnols
exclusivement : Beatriz
Gurest, Josep Font, Ramona
Roja, Jocomomola…
Une sélection du meilleur
de la créativité espagnole.

❹ Pla dels Angels★★

C. de Ferlandina, 23
☎ 93 329 40 47
T. l. j. 13h30-16h
et 21h-23h30.

Pendant les mois d'été, le
restaurant s'étend jusque sur
la place du musée. Le public
est jeune, branché, l'ambiance
est décontractée. Bon petits
repas à prix doux. Les plus
trendy préféreront la *fusion
food* du bar/restaurant del Fad
(pl. dels Angels, 5).

❺ Hospital de
la Santa Creu★★

C. del Carme, 47-49/c
C. de l'Hospital, 56
Patio ouv. t. l. j. 10h-18h.

Promenez-vous dans le jardin
ombragé de l'ancien hôpital
(XVe s.), fondation royale,
aujourd'hui bibliothèque de
Catalogne. Dans le vestibule

de la Casa de Convalescencia,
décoré de somptueux azulejos,
la vie de saint Paul est évoquée
en jaune et vert. Antoni Gaudí
est mort ici en 1926.

❼ Monestir de Sant
Pau del Camp★★

C. de Sant Pau, 101
☎ 93 441 00 01
Mar.-sam. 19h30-20h45,
dim. 9h30-13h30.

Pour échapper au tohu-
bohu de la rue, rendez-vous
à Sant Pau, monastère
roman bénédictin (XIIe s.).
Le cloître vous retiendra
par sa quiétude. Si vous
le sollicitez, le curé de la
paroisse se fera un plaisir de
vous en conter l'histoire…

LE BARRIO CHINO

Le barrio Chino, ou quartier
chinois, doit son nom à
un reportage de l'écrivain
Francis Carco, intitulé
China Town. Pourtant, vous
ne trouverez aucune trace
d'immigration chinoise ici :
le quartier a été peuplé
d'Andalous dès le XIXe s.
Pakistanais et Africains
sont venus récemment
les rejoindre, donnant au
barrio Chino son air de
melting-pot catalan.

4

La Ribera,
de patio
en échoppe

On vit ici comme dans un village. Les vieux métiers côtoient les institutions à la mode : la devanture d'un ravaudeur de chaises courtise la façade de la galerie Maeght, un luthier et un maître verrier dialoguent avec un designer branché… Des retraités jouent aux cartes ou brodent à l'ancienne. Des librairies-salons de thé s'ouvrent dans des rues chargées d'histoire, à l'ombre de l'église Santa Maria del Mar. C'est le dernier quartier à la mode, n'hésitez pas à y aller.

Voir plan détachable
D3 et zoom G5-6

❶ Palau de la Música ★★★

Voir Incontournable p. 80
C. de Sant Francesc de Paula, 2
☎ 93 295 72 00
Ouvert t. l. j., toute l'année
Visites guidées payantes
10h-15h30 toutes les 30 min.

Ce palais a été bâti en 1908 dans le style moderniste par Domènech i Montaner. Des spécialistes en arts appliqués – vitrail, céramique,

mosaïque, sculpture – ont collaboré à sa construction. Le soir, installé dans une loge, bercé par la musique, laissez votre regard se perdre dans le faste du décor.

❷ Pla de la Garsa★

C. dels Assaonadors, 13
☎ 93 315 24 13
T. l. j. 20h-1h.

À deux pas du musée Picasso, ce bar à vins a le charme du bistrot d'autrefois. La salle au carrelage disloqué contourne le comptoir en *rajoles* (carreaux de faïence) de Valence. L'escalier à vis en fer forgé est la fierté du patron. Il vous conseillera les *embotits i formatges* : un excellent choix de cochonnailles et de fromages de brebis arrosés d'un rioja ou d'un penedès (menus à 14,5 € et 19 €).

❸ Museu Picasso★★★

Voir Incontournable p. 71
C. de Montcada, 15-23
☎ 93 319 63 10
Mar.-dim. 10h-20h
Entrée payante.

Dans l'une des rues les plus aristocratiques de la ville s'ouvre le palais Berenguer d'Aguilar, qui accueille depuis 1963 les œuvres de Picasso. Cette demeure est un bel exemple des constructions patriciennes de la fin du Moyen Âge, inspirées de l'Italie du Nord. Au rez-de-chaussée, des jarres permettaient d'entreposer huile, vin et eau, attestant de l'activité marchande de ces « bourgeois gentilshommes » avant la lettre. À l'étage, les œuvres de jeunesse du grand peintre évoquent la rencontre

brève mais intense de Picasso avec la bohème barcelonaise. La salle consacrée à son interprétation du célèbre tableau de Velázquez, les *Ménines*, est un temps fort de la visite du musée.

❹ Museu Barbier Mueller (art précolombien)★

C. de Montcada, 12-14
☎ 932 562 302
Mar.-ven. 11h-19h,
sam. et j. f. 10h-15h
Entrée payante.

En face du musée Picasso, le somptueux palais médiéval Nadal accueille des expositions d'art précolombien. Dans un décor de pierre et d'ombre, laissez-vous envoûter par le mystère des civilisations primitives sud-américaines. Les pièces proviennent des collections du suisse Joseph Mueller et de son fils Jean-Paul Barbier-Mueller.

❺ Galería Maeght★

C. de Montcada, 25
☎ 93 310 42 45
Mar.-ven. 10h-14h
et 16h-19h, sam. 10h-14h
et 16h-17h30.
En 1974, Aimé Maeght (1906-1981) a ouvert ce temple barcelonais de l'art

Vassily Kandinsky à la galerie Maeght.

contemporain. Installé dans le palais Cervellò (XVᵉ s.), il expose Kandinsky, Braque, Miró, Tàpies et des artistes moins connus comme Bennassar, Grau, Solano… Vous pourrez y acquérir des livres d'art bien sûr, mais surtout des œuvres graphiques de jeunes talents, et y dénicher des éditions de bibliophile.

❻ Moska★★

C. dels Flassaders, 42 bis
☎ 93 310 17 01
Lun.-sam. 11h30-14h30 et 16h30-20h30.

Le nom de cette petite boutique-galerie rend hommage à la rue Mosca, qui forme un angle avec la rue dels Flassaders, connue pour être la rue la plus étroite de la ville. La propriétaire de la boutique aimerait que l'on considère les bijoux comme de petites sculptures. Ils sont donc exposés comme dans

un musée, dans des vitrines soigneusement dessinées par son mari architecte. Vous pourrez partir à la découverte de pièces anciennes d'Asie et d'Afrique mais vous pourrez aussi admirer du design contemporain réalisé dans des matériaux aussi divers

que l'or, l'argent, le papier, la résine, le plastique ou le bois.

❼ Euskal Etxea★

Placeta de Montcada, 1-3
☎ 93 310 21 85
Lun.-sam. 13h30-16h et 20h30-23h30 sf lun. midi.

Pour les amateurs de tapas, ce restaurant propose un choix typiquement basque. *Txakas* (crabe mayonnaise), *pimientos del piquillo* (poivrons verts) et brochettes de moules, accompagnés d'un petit blanc *txacoli*, font fureur. Vous serez séduit par cette adresse *euskera*, « basque » dans le texte, qui abrite aussi un centre culturel.

❽ Casa Gispert★★★

C. dels Sombrerers, 23
☎ 93 319 75 35
Lun.-ven. 9h30-14h et 16h-19h30, sam. 10h-14h et 17h-20h.
À la recherche des boutiques perdues : depuis 1851, la famille Gispert est passée maître dans l'art de la torréfaction, *Mestres*

Torradors. La devanture noir et or flamboie dans l'odeur douceâtre du safran, de la cannelle et du café d'Éthiopie. Sacs et pots regorgent de fruits secs et d'épices comme sur un marché d'Orient. Dans l'arrière-boutique, l'ancien four à griller les amandes fonctionne toujours. Une halte de charme et de gourmandise pour le plus grand plaisir des sens.

❾ Santa Maria del Mar★★★

Voir Incontournable p. 79
Pl. de Santa Maria
T. l. j. 9h-13h30 et 16h30-20h (10h dim.).

Située au bord de la mer, l'église portait, à l'origine, le nom de Santa Maria de las Arenas (des sables). Cette cathédrale de la Ribera, construite au début du XIVᵉ s., symbolise la prospérité des

⓫ LE REC CONTAL

Sur les rives de ce cours d'eau, qui donna son nom à la rue del Rec, s'étaient installés les « moulins de mer » et les industries comme la tannerie ou la teinturerie. La toponymie de la Ribera évoque la vocation artisanale du quartier. Écoutez chanter les noms des rues : Assaonadors, Blanqueria, Corretger, Vidrieria, Corders, Carders, Argenteria, Flassaders, Esparteria (tanneurs, mégisserie, corroyeur, vitrier, cordier, cardeur, argentier, fabricant de couvertures, sparterie…). Les Catalans sont des marchands, l'esprit de boutique est né ici.

La Llotja était une institution typiquement méditerranéenne, très puissante. À l'origine, cette halle s'ouvrait à l'air libre et abritait les transactions du port. En 1380, les échanges se multiplient, on éleva un édifice permanent. Le consulat del Mar, lié à la communauté de commerçants catalans d'outre-mer, s'y installa. Reconstruite au XVIIIe s., elle conserve sa salle basse gothique et accueillait la Bourse et l'académie des Beaux-Arts. Aujourd'hui c'est une bibliothèque.

marchands de l'époque. Bien des fabricants de voile, arrimeurs et portefaix sont ensevelis dans ses murs. Bâtie en un demi-siècle dans une unité de style remarquable, c'est une église-halle conçue pour la prédication : au Moyen Âge, les marins catalans embarquaient pour leurs conquêtes lointaines, au cri de « Santa Maria », leur patronne.

⑩ Passatge del Born★★

Un marché médiéval s'y tenait autrefois, alimenté par les produits venus d'outre-mer. Les épices et les pharmacopées d'apothicaires y trouvèrent naturellement leur place. On y vit brûler les autodafés de l'Inquisition. Puis le Born se convertit en théâtre de plein air : joutes *(bournar)*,

tournois, fêtes chevaleresques, carnavals, foires du verre et de l'argenterie s'y déroulèrent. En 1874, on éleva le Mercat del Born, une halle aux structures métalliques en usage pendant un siècle, et actuellement en restauration.

⑫ La Llotja★
Pl. del Palau, 22.

⑬ Como Agua de Mayo

C. de l'Argenteria, 43
☎ 93 310 64 41
Lun.-ven. 10h-20h30,
sam. 10h-21h.

Méfiez-vous de cette petite boutique carrelée comme une piscine. Vous y trouverez une sélection de vêtements et d'accessoires de créateurs espagnols à 90 %, mais surtout irrésistibles à 100 %. Des collections de Josep Font, Miriam Ocariz, La Bella Lola, et des chaussures Dorotea, Vialis, Pedro Garcia... ornent les portants et les murs jusqu'au plafond. Difficile de résister.

Voir plan détachable
C3-4/D3-4 et zoom F6-G6

100 m

Le port,
appel du grand large

À Barcelone, la richesse vient de la mer. Il faudrait, comme au XIXe s., arriver par bateau : jusqu'en 1900, le voyageur débarquait en chaloupe en ayant tout le loisir d'observer la côte. Aujourd'hui, si l'envie de voir le port vous saisit, empruntez l'élégante passerelle la Rambla del Mar, et rendez-vous sur le môle d'Espagne, prolongement récent de la ville. Le dimanche, on flâne en famille, ébahi et fier d'appartenir à cette nouvelle capitale de la Méditerranée, qui vient de renouer avec sa vocation séculaire.

❶ Le monument à Christophe Colomb★

Pl. del Portal de la Pau
☎ 93 302 52 24
T. l. j. 10h-18h30 sf en juin, juil., oct. et sept. : 9h-20h30
Entrée payante.

La colonne de 60 m a été dressée pour l'Exposition universelle de 1888… en hommage à Colomb. D'en haut, on salue de plus près l'explorateur génois que l'on dit ici Catalan. Son doigt ne pointe pas vers l'Amérique mais la Méditerranée, source de la richesse de la ville.

❷ Drassanes et Museu Marítim★★

Av. de les Drassanes
☎ 93 342 99 20
Lun.-dim. 10h-19h
Entrée payante.

Du XIVe au XVIIe s., on éleva ces nefs, uniques par leur taille dans l'Europe gothique. L'activité industrielle des Drassanes était comparable à celle de l'arsenal de Venise : de nombreux vaisseaux sont sortis de ses chantiers, de la nef commerciale à la galère de guerre. Au Musée maritime, en bas des Ramblas, vous admirerez la réplique de la galère royale qui participa à la bataille de Lépante (1571).

❸ Les golondrinas et la Rambla del Mar★

Pl. Porta de la Pau
☎ 93 442 31 06
Départ ttes les 35 min : mars-oct. t. l. j. 11h-20h, nov.-fév. sam. et dim. 11h-18h
Entrée payante.
Pour découvrir le port au ras de l'eau, embarquez dans un

petit bateau *(golondrina)* amarré au quai. On vous contera l'histoire de la rade, dont la première pierre fut posée au XVe s. Depuis 1994, la Rambla del Mar, une passerelle aérienne et mobile, superbe vague métallique, se profile sur le ciel. Elle est l'œuvre de Vialplana et Pinon.

❹ Església de la Mercè et carrer Ample★

Pl. de la Mercè
T. l. j. 10h-13h et 18h-20h.
Le quartier vit s'installer au XVIIIe s. les résidences aristocratiques de la rue Ample. De la place où trône la statue de Neptune, vous aurez le meilleur point de vue sur la façade baroque de la basilique. L'ordre de la Mercè se chargeait de racheter les prisonniers catalans aux pirates barbaresques. Quant à la Vierge de la Mercè, patronne très vénérée de la ville, on la fête du 22 au 24 sept. par des feux d'artifice, la sortie des géants, etc. (voir p. 15).

❺ La rue de la Mercè et le Moll de la Fusta★

Vous cherchez une rue à tapas ? En voici une… Au n° 16, carrer de la Mercè, à la Pulperia, des *patatas bravas* (pommes de terre

mayonnaise) et des poulpes frits ouvrent l'appétit.
Au n° 28, à la Bodega la Plata, c'est le petit vin blanc au *porrò* (voir p. 9) accompagné de sardines grillées qu'il faut commander. Si vous préférez des lieux plus à la mode, allez au Moll de la Fusta. Dans les années 1980, les docks ont été abattus pour créer cette promenade : bars, restaurants… Point d'orgue du *paseo*, la sculpture de Roy Lichtenstein (1992), *la Cara de Barcelona* (le visage de Barcelone), un profil coloré qui se détache sur l'azur…

❻ Le Moll d'Espanya★★

• Maremagnum :
T. l. j. 11h-23h.
• Aquarium :
☎ 93 221 74 74
T. l. j. 9h30-21h (21h30 le w.-e.)
F. billetterie 1h av. f. du site
Entrée payante.

❼ LA MAISON DE CERVANTÈS★★★

Selon la tradition locale, le n° 2 est surnommé « Casa Cervantès ». L'écrivain y aurait séjourné lors de son passage en 1610. La façade, en pierres apparentes, se distingue par ses fenêtres ouvragées. Peut-être est-ce derrière l'une d'elles que l'auteur imagina *Don Quichotte*, sur la plage de la Barceloneta, luttant contre le chevalier de Blanche Lune ?
**Pg de Colom, 2
Pas de visite.**

• Imax :
☎ 93 225 11 11
Entrée payante.

C'est le nouveau rendez-vous du dimanche. Jouez la carte écologique : parcourez les 80 m de tunnel transparent de l'aquarium pour observer une douzaine de requins, faites un petit tour par l'écran semi-sphérique de l'Imax pour la vie des castors, achetez des chemises « organiques » en coton du Pérou chez Natura, un établi en bois pour les enfants chez Imaginarium (voir p. 105). Pour finir, un déjeuner végétarien s'impose.

Verte escale
à Ciutadella

Le parc de la Ciutadella invite à la flânerie, il permet l'été d'échapper à la moiteur de la ville. Des gamins rieurs poursuivent les pigeons dans les allées, étrennent leur bicyclette et saluent les nombreux animaux du zoo. Les amoureux, eux, se bécotent en canotant sur le lac. Dégagé, baigné de lumière, ce jardin mêle sa clarté au dédale obscur et exigu des vieux quartiers.

❶ Arc de Triomf et Museu de Zoologia★★

Pg de Picasso
☎ 93 319 69 12
Mar.-dim. 10h-15h (18h30 le jeu.)
Entrée payante.

Le parc de la Ciutadella accueillit l'Exposition universelle de 1888, et l'Arc de Triomf en marquait l'entrée. Œuvre de l'architecte Josep Vilaseca i Casanovas, il se distingue par son style mudéjar en briques rouges et ses deux façades ornées de reliefs magnifiques et de carreaux de faïence émaillée. Le café-restaurant de l'Exposition a lui aussi des influences mauresques et médiévales. Dessiné par le renommé Domènech i Montaner, ce « Château des trois dragons » abrite aujourd'hui le siège du musée de Zoologie.

❷ Comerç24

C. del Comerç, 24
☎ 93 319 21 02
Mar.-sam. 13h30-16h et 20h30-1h.

Ce restaurant très design tenu par le chef de renom Carles Abellans propose un concept original : des plats surprise laissés au bon choix de votre hôte (qui se sera

renseigné préalablement sur ce que vous n'aimez pas du tout). Dans une ambiance tamisée vous dégusterez une cuisine « glocal » – alliage inédit d'influences du monde, d'Europe et de Catalogne. Si les surprises vous font peur, demandez la carte !

❸ Parc de la Ciutadella★

Trois entrées : pg de Picasso, pg de Pujades, C. de Wellington
T. l. j. 8h-21h.

Le 11 septembre 1714, la ville se rendit à son nouveau roi Philippe V, Bourbon

d'Espagne. On rasa une partie du quartier de la Ribera (voir p. 46-47) pour construire

une place forte, symbole de la répression des libertés civiques de Barcelone. Au XIXe s., lorsque le nationalisme catalan resurgit, on s'attaqua à cette forteresse : elle fut démantelée en 1868 et transformée en un parc public.

❹ L'Umbracle et l'Hivernacle★★

Parc de la Ciutadella
Café de l'Hivernacle :
Lun.-dim. 8h-20h.

Dans le parc à l'anglaise, vous découvrirez des pavillons aux claustras de bois et verre, au charme indéfinissable. L'Umbracle (1883) accueillait autrefois une école de botanique. Aujourd'hui des chaises longues en teck invitent à une rêverie

tropicale. L'Hivernacle (1883), une serre carénée de verre et de métal, permet une halte délicieuse. *Si, par une nuit d'été, un voyageur…*

❺ Parc Zoològic★

Parc de la Ciutadella
☎ 93 225 67 80
T. l. j. 10h-18h en hiver et 9h30-19h30 en été
Entrée payante.

L'idée que l'on se fait des zoos est souvent affligeante, celui de Barcelone dément ce préjugé tenace. Toucans et aras multicolores, ouistitis et marmousets malicieux font la joie des enfants de 7 à 77 ans. Des dauphins font leurs pirouettes dans les bassins et les gorilles et les chimpanzés, fidèles à leurs habitudes amusent le public.

❻ Estació de França★★

Av. del Marquès de l'Argentera
☎ 90 224 02 02 (n° RENFE)
T. l. j. 6h-23h30.

L'Estació de França, restaurée en 1992, fut construite à l'occasion de l'Exposition de 1929 par l'ingénieur A. Montaner. C'était l'une des gares les plus modernes de l'époque avec ses arceaux métalliques de plus de 30 m surplombant les quais. Vous serez encore surpris aujourd'hui par cette architecture luxueuse.

❼ SET PORTES★★

Une institution, un restaurant culte, dont le livre d'or fait voisiner Che Guevara, Manolete, John Wayne, García Lorca, Miró et Ava Gardner… Les boiseries XIXe s. éclairées par des lampes rustiques sont le cadre idéal pour déguster une *paella marinera* ou un riz noir de l'Empordà.

Pg d'Isabel II, 14
☎ 93 319 30 33
T. l. j. 13h-1h.

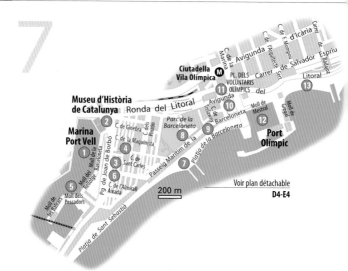

De la Barceloneta au port Olympique :
un rivage à la page

Depuis 1992, le slogan *Barcelona oberta al mar* (Barcelone ouverte sur la mer) est un leitmotiv à l'honneur, et les urbanistes ont transformé le littoral. Autrefois, on dînait les pieds dans l'eau dans les *chiringuitos*, gargotes familiales, qui ont été démolis sans ménagement. Si vous êtes nostalgique de la Barceloneta « couleur locale », plongez-vous dans le cœur du quartier. Le linge mis à sécher pavoise les balcons, sur les trottoirs les vieux prennent le frais et les scores du Barça (équipe de foot vénérée) animent les cafés. Et par ici, on parle andalou…

❶ Marina Port Vell★★

La ville n'a pas toujours bénéficié d'un port abrité. Les navires restaient au large tandis que des embarcations transbordaient les marchandises. Un môle fut construit au XVIᵉ s., mais il fallut attendre le XIXᵉ s. pour un équipement moderne. La marina est récente (1992),

et les yachts donnent maintenant une note luxueuse à l'une des zones les plus anciennes et industrielles du port.

❷ Palau de Mar – Museu d'Història de Catalunya★★★

Pl. de Pau Vila, 3
☎ 93 225 47 00
Mar.-sam.10h-19h (20h le mer.), dim. 10h-14h30
Entrée payante.

Le Port Vell (vieux port) fut muni de docks au XIXe s. le Palau de Mar, récemment réhabilité, demeure un bel exemple d'architecture industrielle. Ces « entrepôts généraux de commerce » abritent le nouveau musée d'Histoire de Catalogne qui présente, de façon didactique et ludique, les grandes étapes de l'histoire catalane : une muséographie parlante et attrayante permet de passer un bon moment. Après la visite, succombez aux nourritures terrestres, agréablement installé en terrasse des docks, rêvant de corsaires et de flibustiers au long cours.

❸ Can Solé★★

C. de Sant Carles, 4
☎ 93 221 50 12
Mar.-jeu. 13h30-16h et 20h-23h, ven.-sam. 13h30-16h et 20h30-23h, dim. 13h30-16h.

Ce bistrot du port ouvert en 1903 a conservé quatre tables de marbre, des serveurs en veste blanche, et un débit de bière pression. Dans la cuisine ouverte, on prépare sous vos yeux les seiches au four, et le *suquet* (voir p. 9) que vous honorerez serviette autour du cou ! La dernière épreuve pour être sacré Catalan sera de boire le petit vin blanc au *porró* (voir p. 9)…

❹ Església Sant Miquel del Port★

C. de Sant Miquel, 39
☎ 93 221 65 50
T. l. j. 7h-13h30 et 16h30-20h.

L'église fut construite à la naissance du quartier (1753) en l'honneur de saint Michel, patron de la Barceloneta. Sa façade est un bel exemple d'architecture baroque. Ferdinand de Lesseps vécut à l'ombre de son clocher. En été, sa fraîcheur est délicieuse et, sur la place, les enfants jouent au ballon aux cris de « *Força Barça !* ».

❺ Moll dels Pescadors★★

Téléphérique de Montjuïc
T. l. j. 11h-14h45 et 16h-19h30, ttes les 10 min, trajet 15 min
Entrée payante.

Le môle des pêcheurs, accessible aux heures des criées, s'étire sous le phare de l'Horloge (1772) et, dès l'aube, le mouvement incessant des mareyeurs anime les quais. La tour Sant Sebastiàn est une silhouette familière du port, c'est le terminus du téléphérique (1931). Empruntez-le pour rejoindre Montjuïc, et contemplez l'extraordinaire panorama qui s'offre à vous.

❻ Suquet de l'Almirall

Pg de Joan de Borbó, 65
☎ 93 221 62 33
Mar.-sam. 13h30-15h30 et 20h30-23h, dim. 13h30-16h.
Le passeig Joan de Borbo pourrait être rebaptisé le passeig des restaurants de poisson, tant ils se succèdent et se ressemblent : fruits de mer, paellas, nappes à carreaux, grandes tablées et joyeux brouhaha des familles. Pas loin de la fin de la rue, le Suquet de l'Almirall se démarque par sa tranquillité. Goûtez sa délicieuse *fideua*, sorte de paella de pâtes à l'encre de seiche, tout en profitant de l'ambiance vraiment paisible du lieu.

❼ La Barceloneta et sa plage★★

La Barceloneta abrite une partie de la mémoire populaire de la ville. Elle fut créée au XVIIIe s. quand on rasa la Ribera (voir p. 46) pour élever la Ciutadella (voir p. 52). Ses habitants, alors sans abri, durent attendre 1753 pour être relogés dans ce quartier tiré au cordeau. Il a conservé le charme des vieilles cités méditerranéennes : on pourrait être à Palerme ou à Naples. Au début du siècle dernier, les Barcelonais se baignaient aux Banos Sant Sebastiàn et aux Banos Orientales ; aujourd'hui cinq kilomètres de plage s'étendent, fraîchement plantés de palmiers d'Elche.

❽ Le passeig Marítim, un château d'eau et la tour du Gazomètre★

Le passeig Marítim unit la Barceloneta du XVIIIe s. au jeune port Olympique. En vous promenant, vous découvrirez ce qu'il reste du passé industriel de la zone : le château d'eau (Torres de les Aigües) de J. Domènech i Estapà, construit en 1906, profile sa silhouette moderniste ; quant à la structure métallique de l'ancien gazomètre, elle sera bientôt le centre d'un parc.

❾ Agua★★

Pg Marítim de la Barceloneta, 30
☎ 93 225 12 72
Midi : lun.-ven. 13h30-16h (17h sam. et dim.)
Soir : dim.-jeu. 20h30-minuit.

Préférez cet endroit idyllique, bleu comme le ciel et la mer, pour prendre un apéritif ou un repas exquis. Vous pourrez y déguster des produits de la mer, frais et simplement préparés. Ambiance agréable avec vue sur la mer à midi, ambiance romantique le soir à la belle étoile.

❿ Hotel Arts★

C. de la Marina, 19-21
☎ 93 221 10 00.

Deux tours dominent le port Olympique. L'une d'elles, dessinée par Ortiz i León, est occupée par les assurances Mapfre, la seconde est le luxueux hôtel Arts-Ritz-Carlton. Son bar, le Terraza (t. l. j. 16h-2h), vous réserve l'un des plus jolis points de vue sur les dessous de la baleine de F. Gehry et les dessus du port ! Son choix de *puros* (cigares) et de cocktails de *cavas* (champagne local) est unique en Espagne. Pour des « tapas design », rendez-vous au restaurant de l'hôtel, le Goyescas (t. l. j. 12h-minuit).

⓫ Deux sculptures en plein air★★★

Les rues et places de Barcelone comptent plus de 430 monuments. Le premier tiers du XXe s. a vu s'élever de nombreuses sculptures, mais durant les années 1980 et 1990, leur nombre s'est multiplié. Un exemple de ce musée en plein air est l'œuvre d'Antoni

Llena, *David et Goliath* (1993) : à l'arrière de la tour Arts, un cerf-volant s'envole, présentant au passant sa poétique face de lune. Quant à Rebecca Horn, elle a rendu son *Hommage à la Barceloneta* (1992) sur la plage, en évoquant les *chiringuitos* disparus (voir encadré).

⓬ Le port Olympique et la baleine de Frank Gehry★★

En 1992, les compétitions olympiques nautiques démarraient d'ici. Les restos design du port ont remplacé les gargotes aux nappes à carreaux de la Barceloneta. Le dimanche, trois ou quatre générations se réunissent autour des tables. De glacier en McDonald's, de tapas (voir p. 10) en *pipas* (graines grillées de tournesol), on lézarde paresseusement

sur les quais. Une splendide baleine en bronze s'est échouée là, l'architecte Frank Gehry en a dessiné le squelette long de 50 m.

⓭ La Nova Icària★

La Nova Icària est le dernier projet de réaménagement de 130 ha du littoral. Il s'est approprié une partie du Poble Nou, la « Manchester catalane » du XIXe s., où seules certaines cheminées d'usine rappellent le passé ouvrier de la zone. Dans les années 1990, les architectes ont pris le pouvoir ici, épaulés par des promoteurs, pour inventer la cité du futur et créer la Vila Olímpica. Les athlètes y ont séjourné lors des JO de 1992. « La nouvelle cité olympique c'est comme un licencié d'Oxford jouant au cricket aux portes du Bronx », a dit l'écrivain Manuel Vázquez Montalbán.

LOS CHIRINGUITOS

Dès 1941, des familles de pêcheurs préparèrent des repas simples pour les baigneurs. Installés dans des kiosques sur la plage de la Barceloneta, les *chiringuitos* se multiplièrent à côté d'établissements de bains comme Los Orientales et Sant Sebastiàn. Ils ouvraient l'été et fermaient l'hiver. En 1991, ils ont été détruits et, avec eux, une partie de la mémoire populaire de la ville.

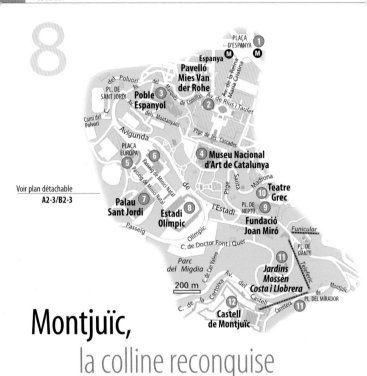

Montjuïc,
la colline reconquise

Centre névralgique des JO de 1992, Montjuïc s'est offert un lifting coûteux. Ce « mont des Juifs », ou « montagne de Jupiter », est le but des promenades dominicales. On s'y rend en famille pour prendre un bol d'air. On peut y déjeuner sur l'herbe, jouer à cache-cache parmi les cactus géants, flâner sur les terrasses de la fondation Miró, parier sur les lévriers du cynodrome de la place d'Espagne, ou faire un jogging forcené : l'entrée des marathoniens du stade olympique n'est pas loin…

❶ La carrer de Llançà et la plaça d'Espagne★★

Ouv. lun., ven., sam. et dim. 11h-14h et 17h-21h, mar., mer. et jeu. 17h-21h
Entrée libre.

La place d'Espagne, ancienne croisée des chemins, a été aménagée pour l'Exposition de 1929 (voir p. 61). Au centre, une fontaine allégorique de

J. M. Jujol, collaborateur de Gaudí, représente les fleuves de la péninsule. Au nord, les arènes « néomauresques » de 1899 sont aujourd'hui désaffectées : les Catalans dédaignent l'art madrilène de la tauromachie.

❷ Pavelló Mies Van der Rohe★★

Av. del Marquès de Comillas
☎ 93 423 40 16
T. l. j. 10h-20h
Entrée payante.

Au pied de la butte, le pavillon allemand, détruit à la fin de l'Exposition internationale de 1929, a été reconstitué en 1986. Ses matériaux, marbre, pierre, onyx et verre, dessinent un espace d'une rare pureté. Une architecture rationaliste extrêmement séduisante.

❸ Poble Espanyol★

Av. del Marquès de Comillas
☎ 93 325 78 66
Lun. 9h-18h, mar.-jeu. 9h-2h, ven.-sam. 9h-4h, dim. 9h-minuit
Entrée payante.

Initialement conçu pour les visiteurs de l'Exposition de 1929 comme un voyage en bottes de sept lieues à travers l'Espagne,

ce décor d'opérette a toujours autant de succès. Tous les styles régionaux y sont représentés. Un souffleur de verre, un fabricant de santons, des tables aux nappes à carreaux, c'est la balade kitsch par excellence ! Du haut des Torres de Avila, dans le bar du même nom (voir p. 130), vous aurez un point de vue étonnant sur le village.

❹ Museu Nacional d'Art de Catalunya (MNAC)★★

Voir Incontournable p. 73
Palau Nacional
☎ 93 622 03 75
Mar.-sam. 10h-19h, dim. et fêtes 10h-14h30,
Entrée payante.

Symbole de l'Exposition de 1929, l'ancien Palais national abrite depuis 1934 les collections d'art catalan. Restauré par Gae Aulenti, vous y admirerez d'exceptionnelles collections romane et gothique. Perdez-vous dans ce dédale pour découvrir les remarquables fresques d'Urgell et de Taüll (XIIe s.). Si vous n'aviez pas prévu le tour des églises pyrénéennes, vous en aurez déjà un bel aperçu au MNAC.

❺ La tour de Calatrava ★★

Pl. Europa
Entrée libre.

Contrepoint élégant au palais Sant Jordi, la tour des Télécommunications est le symbole du XXIe s. Dessinée par Santiago Calatrava, pointée vers le firmament, elle ouvre la voie vers de nouvelles galaxies.

❻ Les piscines Picornell et INEFC★

Av. de l'Estadi.
Bernat Picornell, pionnier catalan en natation, a laissé son nom aux piscines remodelées pour les compétitions olympiques. Elles côtoient l'édifice classicisant de l'Institut d'enseignement d'éducation

physique. Ce dernier, conçu autour d'un cloître, est typique de son auteur catalan, Ricardo Bofill. Un portique aux colonnes doriques en marque l'accès, tel un temple antique. Pas très novateur, mais imposant, le bâtiment aux teintes claires se découpe sur un ciel irradié. Le syndrome grandiloquence a encore sévi. L'effet Bofill est assuré !

❼ Palau Sant Jordi ★★★

Pg Olímpic
☎ 93 426 20 89
Sam.-dim. 10h-18h
Entrée libre sur l'esplanade olympique.

Le Japonais Arata Isozaki a eu recours aux technologies les plus avancées pour concevoir le siège des épreuves de gymnastique en 1992. Aujourd'hui, la variété a pris le pas sur les athlètes et les concerts rock donnent le tempo. Au coucher du soleil, les sculptures de Miyawaki sont d'un bel effet graphique : une forêt d'arbres métalliques, électrodes du futur, se détache sur le ciel.

❽ Estadi Olympic et Galería Olympic ★

Av. de l'Estadi
• Stade :
T. l. j. 10h-18h (20h en été).
Entrée gratuite puerta Maratón.
• Galerie :
☎ 93 426 06 60
Lun.-ven. 10h-14h et 16h-18h.

L'enceinte de Pere Domènech date de 1929, la façade et les sculptures équestres de Gargallo ont été conservées. Imaginez les 60 000 spectateurs faisant la « holà », chefs d'État en tête… Un saut à la galerie : la vue des costumes imaginés par Els Comediants pour les cérémonies de juillet 1992 vous mettront dans une forme… olympique.

❾ Fundació Joan Miró ★★★

Voir Incontournable p. 76
Carretera de Montjuïc
☎ 93 622 03 76
Mar.-sam. 10h-19h (20h juil.-sept.), jeu. jusqu'à 21h30, dim. 10h-14h30
Entrée payante.

Josep Lluís Sert a conçu ce bâtiment blanc, baigné de lumière. Inauguré en 1975, il n'a pas pris une ride. Vous y décrypterez le grand œuvre de cet extraordinaire alchimiste que fut Miró. La transmutation qui s'opère en ces lieux est de l'ordre de la poésie. Pour les nourritures terrestres, s'arrêter à la terrasse ensoleillée du

MONTJUÏC, SIÈGE DE L'EXPOSITION DE 1929

En mai 1929, Alphonse XIII inaugurait l'Exposition internationale. Elle fut la vitrine de la dictature de Primo de Rivera et ne lui survécut que quelques semaines. La plupart des bâtiments que vous rencontrerez sur les flancs de la colline sont d'anciens pavillons transformés aujourd'hui en musée ou théâtre : le Mercat dels Flors, par exemple, lieu insolite et fantomatique, mérite un détour…

restaurant, sans oublier la sélection de la boutique…

⑩ Teatre Grec★

Passeig de l'Exposició.
En contrebas de la fondation Miró, le théâtre Grec a été aménagé, en 1929, dans une ancienne carrière. Dès l'époque romaine, le grès de Montjuïc fut exploité pour la construction de la ville. Au Moyen Âge, la corporation des porteurs achemina gratuitement les pierres de Montjuïc pour élever Santa Maria del Mar. Les gradins de ce théâtre de verdure s'appuient donc sur une carrière abandonnée. Pourquoi ne pas assister à un spectacle : *Le Songe d'une nuit d'été* peut-être ?

⑪ Mirador de l'alcalde et jardins Mossèn Costa i Llobrera

Pl. del Mirador
Entrée libre.
Face à l'entrée du parc d'attractions, de l'esplanade, vous aurez l'une des plus agréables vues sur le port. Le sol est un collage de débris de céramique et de fonds de bouteille, une sculpture de Subirachs rend un « Hommage à Barcelone ». En contrebas, les jardins Mossèn descendent en cascade jusqu'au port.

⑫ Castell de Montjuïc et Museu Militar

Point culminant
de la colline de Montjuïc
☎ 93 329 86 13
T. l. j. sf lun. 9h30-20h (en été et le w.-e.), 9h30-17h (en hiver)
Entrée payante.

Le château de Montjuïc a toujours été un symbole de répression. En 1751, l'ingénieur Cermeno lui donna son aspect de place forte en étoile. D'ici, on bombarda la ville en rébellion en 1842, on fusilla cinq prisonniers en 1896. Depuis 1960, il accueille les collections du Musée militaire où sont portraiturés les comtes et les rois de Catalogne.

9

Jardins
de Salvador
Espriu

Avigunda　PLAÇA DE
Carrer　de　JOAN CARLES1　Còrsega

Diagonal Ⓜ ① **Palau Baro**
de Quadras　Rosselló

Carrer　del ②③　de Diagonal
Ptge de la
Concepció ⑤　de　Provença

Carrer　de ④ **Casa**
Milà

Voir plan détachable
D1-2

Carrer　de ⑥

Carrer　**Fundació**
Tàpies ⑦

PLAÇA
DEL DOCTOR
LETAMENDÍ　**Manzana** ⑧　Ⓜ **Passeig**
de la Discordia ⑨　**de Gràcia**

Carrer　del　Consell　de　Cent　**Girona** Ⓜ

Universitat
central　⑩

Carrer　de　la　Diputació

⑪ ⑫　200 m

Gran　Via　de　les　Corts　Catalanes

Ⓜ **Universitat**
R. de la Universitat

Ⓜ **Catalunya**　**Casa** ⑬
Calvet

L'Eixample
ou les prodiges du modernisme

Au début du XXᵉ s., l'Eixample (« l'élargissement »)
est devenu le périmètre le plus prestigieux de la ville.
Ses immeubles modernistes sont l'écrin de boutiques
cousues main : les branchés assiègent Vinçon pour
acquérir la dernière lampe design, un essaim de
Japonais s'engouffre chez le sellier Loewe et ressort
satisfait, la griffe à la main ; et sur les bancs des larges
avenues, les hommes d'affaires dévorent un journal
catalan, agapes obligées du matin. C'est un quartier
empreint de luxe et de volupté, rarement de calme…

abrite depuis peu la Maison
de l'Asie, qui organise des
expositions temporaires sur
des thèmes asiatiques divers,
et permet de visiter le palais
par la même occasion.

❶ Palau Baro de
Quadras – Casa Asia

Av. de Diagonal, 373
☎ 93 238 73 37
Lun.-sam. 10h-20h, dim.
10h-14h
Expositions temporaires
t. l. j. sf lun.
Visite libre et gratuite.

Ce bâtiment fut construit par
l'architecte Puig i Cadafalch
en 1906. Le hall d'entrée
– sol en mosaïques, colonnes
aux chapiteaux floraux,
fontaine en pierre – et son bel
escalier forment un ensemble
harmonieux. L'édifice

➋ Vinçon

Pg de Gràcia, 96
☎ 93 215 60 50
www.vincon.com
Lun.-sam. 10h-20h30.

Un beau jour, un Allemand, Vinçon, décida de se lancer dans le design contemporain. Idée promise à un bel avenir, puisque la boutique présente aujourd'hui la meilleure et la plus complète sélection d'objets design dédiés à la maison. Vous y trouverez tout, du mobilier le plus avant-gardiste aux éléments dernier cri pour la salle de bains, la cuisine, le bureau, etc. Les vitrines du paseo de Gràcia, surprenantes, sont de véritables annonces des tendances du moment.

➌ TincÇon★★

C. del Rosselló, 246
☎ 93 215 60 50
www.vincon.com
Lun.-sam. 10h-14h et 16h30-20h30.

TincÇon (dont le nom repose sur un jeu de mots et signifie « j'ai sommeil ») est la petite sœur de **Vinçon**. Dans cette boutique tout en longueur, vous découvrirez une sélection

d'articles en rapport avec le sommeil : draps, oreillers, literie, et aussi des livres… Et toujours le souci de qualité et d'innovation qui caractérise Vinçon. Faites de beaux rêves…

➍ Casa Milà★★

C. de Provença, 261-265
☎ 93 484 59 00
Salles ouvertes lun.-dim.
10h-20h
Entrée payante.

Cet étonnant et dernier édifice civil de Gaudí fut construit entre 1905 et 1910. Appelée familièrement *la Pedrera* (carrière de pierres), sa façade ondulante, qui tient

plus de la sculpture que de l'architecture, devait s'achever par un hommage à la Vierge, mais les Milà, mécènes commanditaires, refusèrent. Gaudí abandonna alors le projet pour se consacrer à la Sagrada Família (voir p. 29). Diverses salles d'exposition (L'espair, Gaudí, El terrat, El pis…) ainsi que la librairie-boutique vous permettront de rendre Barcelone et son histoire encore plus vivantes.

➎ El Tragaluz★★

Ptge de la Concepció, 5
☎ 93 487 06 21
T. l. j. 13h-16h et 20h30-minuit (1h les jeu., ven. et sam.).

Ce rendez-vous très à la mode cultive au mieux les références

du genre. Racé dans ses atours, feutré dans son ambiance, il propose des plats genre « nouvelle cuisine », assortis au cadre : une villa du début du XXᵉ s. au décor très raffiné, « lookée design ». Choisissez une table en mezzanine pour une jolie vue du pont supérieur.

➏ Le passeig de Gràcia

De 1890 à 1925, le passeig de Gràcia fut le centre résidentiel

❽ Manzana de la Discordia★★★

Pg de Gràcia
• Casa Lleó Morera :
☎ 93 488 01 39
• Casa Batlló :
☎ 93 488 06 66
Lun.-dim. 10h-20h,
• Casa Amatller :
Pas de visites, mais un
centre d'infos sur le
modernisme se trouve
au r.-d.-c.

Vers 1900, chacune de ces grandes familles s'appropria le génie d'un architecte de renom pour faire élever son palais. Les divers styles de ces maisons les ont fait surnommer « la Pomme de discorde ». On fit en effet appel à des styles architecturaux antérieurs à la révolution industrielle, et modernistes (voir p. 20-21), pour les esprits les plus avancés. Le maillage orthogonal des rues fut planté de résidences

de la haute bourgeoisie. Il reçut le premier éclairage au gaz et devint dès la fin du XIXᵉ s. la promenade à la mode. Les gens de qualité s'y montraient en calèche, chapeautés et gantés, leurs enfants accompagnés d'une nourrice galicienne. Les carnavals alternaient avec les défilés militaires. Il y régnait toujours un air de fête.

i Simón, qui est devenue plus tard la fondation Antoni Tàpies. Réappropriation heureuse du modernisme naissant, l'intérieur, constitué d'une structure en fonte et claire-voie de verre, est idéal pour l'exposition des œuvres de Tàpies (voir p. 27).

❼ Fundació Tàpies★★★

Voir Incontournable p. 74
C. d'Aragó, 255
☎ 93 487 03 15
Mar.-dim. 10h-20h
Entrée payante.

Ici, deux célèbres artistes catalans ont associé leur génie. L'architecte Domènech i Montaner a dessiné en 1886 la maison d'édition Montaner

fastueuses, tels des pions sur un échiquier : le jeu croisé des intérêts des familles régnantes s'y établit, et les Rastignac catalans se donnèrent ainsi des lettres de noblesse.

❾ Antonio Miró★★

C. del Consell de Cent, 349
☎ 93 487 06 70
Lun.-sam. 10h-14h
et 16h30-20h30.

Le créateur barcelonais Antonio Miró est reconnu

bien au-delà des Pyrénées.
La décoration de sa boutique,
chaleureuse et graphique,
a été conçue par Pilar Lìbano,
à l'image de sa ligne de
vêtements sobres (homme,
femme). Premier prix d'un
tailleur femme : 400 € !

❿ Le Café du Centre★★★

C. de Girona, 69
☎ 93 488 11 01
Lun.-ven. 8h30-22h,
sam.-dim. 20h-1h
En février : 10h-12h30 et
16h30-20h30
F. en août.

Sous la République (1931-
1936), Le Café du Centre était
une maison de jeu distinguée
fort réputée. Quand le jeu fut
interdit, ce casino devint une
bodega familiale, un bar à
vins où l'on vous sert *embotits*
et *pa amb tomàquet,*
cochonnailles et tartines de
pain grillé à l'huile d'olive et à
la tomate (le tout à 9 €).
Demandez la table où
l' « Avi », croupier légendaire,
établit sa réputation et faites
votre choix !

⓫ L'université★

**Gran Via de les Corts
Catalanes, 585**
Pas de visite.

La première université de
Catalogne fut fondée à Lérida
en 1300. Au début du XVe s., le
roi Martin l'Humaniste créa
un enseignement officiel en
arts et médecine. Située sur
la Rambla de los Estudios,
l'université dut se déplacer
à Cervera au XVIIIe s.
Ce n'est qu'en 1861 qu'Elies
Rogent construisit le bâtiment
que vous pouvez voir,
dans un style « néoroman ».
La bibliothèque est riche
de plus de deux millions de
volumes, dont de précieux
incunables.

⓬ Bijouterie Roca★★

Pg de Gràcia, 18
☎ 93 318 32 66
Lun.-ven. 10h-14h et
16h30-20h, sam. 10h-13h30
et 17h-20h.

Allez voir l'intérieur de
cette bijouterie, œuvre de
l'architecte Josep Lluís
Sert, ami de J. Miró :
c'est un superbe exemple
d'architecture rationaliste.
Espace, lumière, couleur

et mobilier sont étroitement
liés, donnant au cadre
une grande pureté.
Voilà un écrin parfait
pour un joaillier.

⓭ Casa Calvet★★

C. de Casp, 48
Pas de visite.

C'est le premier édifice
de Gaudí, et le seul qui
lui valut un prix en 1900.
Vous y découvrirez quelques
bizarreries comme les têtes
de trois saints qui observent
les passants, des supports
de poulies richement
décorés, et les saillies des
balustrades en fer forgé
qui semblent arrondir
la façade. Pour un aperçu
de son intérieur moderniste,
le rez-de-chaussée abrite
un ancien magasin de textile
reconverti en restaurant chic
(voir p. 90).

LE PLAN CERDÀ

À la disparition des remparts, en 1854, Idelfons Cerdà
fut chargé des plans de reconstruction. Il appartenait
à cette génération marquée par Proudhon,
la machine à vapeur, Hegel et le romantisme.
Il imagina une ville moderne et démocratique :
un quadrilatère comprenant 1 200 pâtés de maisons,
avec des jardins intérieurs, une perspective illimitée
des rues, un espace aéré et égalitaire. L'Eixample,
« l'élargissement », était né.

10

Diagonal Pedralbes,
les hauts de la ville

Voir plan en rabat
de couverture

La silhouette brune de la Sierra barre la ligne d'horizon. La ville s'étend à ses pieds jusqu'à la mer. Montagne et eau, ciel et mer, Pyrénées et Méditerranée, cette dualité définit le pays catalan et sa capitale. Depuis toujours, l'appel de la campagne entraîne les Barcelonais vers les hauteurs. Sur les pentes de la colline s'étagent monastères, villas modernistes, jardins et parcs d'attractions. L'été, les brises légères de la Sierra sont providentielles, guinguettes et auvents de paille ont la faveur.

❶ L'avenue Diagonal

Cet axe traverse la ville d'est en ouest. Il fut tracé en 1859 comme l'Eixample (voir p. 62). Le haut de cette avenue est le centre des affaires : hôtels de luxe, assurances, grands magasins (Illa, El Corte Inglés, voir p. 106-107), banques. Le logotype dessiné par Miró s'affiche sur la façade de la Caixa de Pensions. Cette étoile à cinq branches est l'emblème de l'une des entités bancaires les plus puissantes d'Europe.

❷ L'entrée
de la Finca Güell★★

Av. de Pedralbes, 7.
Le portail et les pavillons d'entrée de la Finca Güell ont été réalisés par Antoni Gaudí (1884) qui fit preuve, une fois encore, d'une infatigable invention ornementale. La conciergerie mauresque semble abriter le harem d'un sultan, et le dragon gardien des lieux est un chef-d'œuvre de la ferronnerie catalane Art nouveau. Il décourage de sa gueule menaçante tout visiteur importun.

C'est l'une des promenades les plus séduisantes de la ville. Le nom de Pedralbes viendrait du latin *petras albas*. Il y a environ 650 ans, Elisende de Montcada, épouse du roi Jaume II, la fit construire. La nouvelle église fut consacrée en 1327. À la mort de son mari, la reine Elisende se retira au monastère entourée de sa cour. Le cloître, à trois étages, évoque six cents ans de vie monacale, c'est une prestigieuse illustration du gothique catalan. Dans la chapelle Saint-Michel, les fresques de Ferrer Bassa témoignent des échanges italo-catalans au XIVᵉ s.

❸ Jardins et Palau de Pedralbes★★

Av. de Diagonal, 686
Musée des Arts décoratifs,
musée de la Céramique
☎ 93 280 50 24
Mar.-sam. 10h-18h,
dim. 10h-15h (f. billetterie
30 min avant)
Billet commun.

Cette résidence royale fut bâtie dans les années 1920 sur une ancienne propriété du comte de Güell. Elle abrite les musées des Arts décoratifs et de la Céramique. Allez-y, c'est l'occasion inespérée de découvrir des pièces uniques, aux décors émaillés, d'Artigas, Miró et Picasso.

❹ Monestir de Pedralbes★★

Baixada del Monestir, 9
☎ 93 203 92 82
Mar.-sam. 10h-14h,
dim. 10h-15h
Entrée payante.

Bornemisza. Les cimaises ont été aménagées dans l'ancien dortoir des Clarisses, et la collection témoigne des liens étroits tissés entre l'Italie et la Catalogne médiévales.

❺ Fundació Thyssen-Bornemisza★★★

Voir Incontournable p. 75
Baixada del Monestir, 9
☎ 93 203 70 10
Mar.-dim. 10h-14h
Entrée payante.

Depuis 1993, le monastère de Pedralbes présente une partie de la collection Thyssen-

Elle propose un panorama des écoles européennes du XIIIᵉ s. au XVIIIᵉ s. : si vous avez peu de temps, allez voir en priorité la *Vierge d'Humilité* de Fra Angelico, la *Vierge à l'Enfant* de Titien, *Portrait du Sénateur* du Tintoret, *Marine* de Ruysdael, *Le Bucentaure* de Canaletto et *La Place Saint-Marc* de Guardi.

❻ LA MONTÉE AU TIBIDABO★★★

Si vous êtes amateur d'émotions fortes, sautez dans un taxi jusqu'au pied du Tibidabo (10 min de Pedralbes). Empruntez ensuite le *tramvia blau*, dernier vestige des tramways disparus. Cette montée « électrique » permet d'admirer les villas modernistes bâties par la bourgeoisie barcelonaise au début du XXᵉ s. : toute famille respectable avait une *torre* (villa) à la campagne. En fin de parcours, attablez-vous à la terrasse de La Venta (voir p. 91), une guinguette mauresque au charme désuet.

11

Estació

PLAÇA EDUARD
MARISTANY

4

Avinguda de les Flors

C. Sant Isidre

C. Isla de Cuba

C. francesc Gumà

Carrer de Jesús

C. de Santiago Rusiñol

5 Museu
Romàntic

Carrer de Parellades

C. de St Josep

C. Sant Francesc

C. Sant Gaudenci

C. Sant Bertomeu

PLAÇA CAP
DE LA VILLA

Carrer
d'Angel
Vidal

Carrer Bonaire

C. Sant Pere

C. Sant Pau

Carrer
C. Carreta
C. Aigua
C. Tacó
C. Nou Major

Voir plan en rabat
de couverture

C. Juan Tarrida
Ferratges

Passeig de la Ribera

100 m

PLAÇA
BALUART

PLAÇA DE
L'AJUNTAMENT

C. Fonollar

Museu
Cau Ferrat

1
PLAÇA
DE LA
ESGLÉSIA

3 2
Museu
Maricel

Sitges,
un, deux, trois, soleil

Entre Barcelone et Tarragone, la *Costa Daurada* déroule ses plages de sable blond. Sitges est une station balnéaire épargnée par les promoteurs, elle a conservé le charme des villégiatures du début du XXᵉ s. avec ses villas modernistes, son paseo ombragé planté de palmiers d'Elche et son église rosée dominant la baie. Les gays de l'Europe entière ne s'y sont pas trompés : c'est l'une de leurs destinations de prédilection. Pour se rendre à Sitges, voir p. 32.

❶ Plaça de la Església et passeig de la Ribera★★★

L'origine de ce port de pêche est très ancienne. On le confond avec un site antique : il aurait été l'ouverture maritime de la ville haute d'Oderdola. Le nom de Sitges est d'origine ibérique, il signifie « silos », et l'on a retrouvé des réserves de grains, creusées à même la roche. De la place de l'Église (XVIIᵉ s.), vous promènerez votre regard sur le paseo

qui longe la *Platja d'Or*. À l'arrière, le massif du Garraf fait écran aux vents du nord.

❷ Museu Cau Ferrat★★

C. del Fonollar, 8
☎ 93 894 03 64
Hiver : mar.-ven. 10h-13h30 et 15h-18h30, sam. 10h-19h, dim. 10h-15h
Été : mar.-dim. 10h-14h et 17h-21h
Billet commun avec les musées Maricel et Romàntic.

En 1893, l'étonnant artiste et écrivain Santiago Rusiñol fit l'acquisition d'une maison de

pêcheurs et y installa son atelier. Ses collections de ferronnerie, céramique et mobilier catalans furent léguées à la ville par sa veuve. Vous pourrez admirer deux œuvres du Greco que Rusiñol promenait dans les rues pour parodier la procession de Pâques, des tableaux de Picasso, de Ramon Casas et de Nonell.

❸ Museu Maricel★

Informations pratiques : voir Museu Cau Ferrat.

Dans l'ancien hôpital de la ville, on a réuni de précieuses pièces d'art espagnol, donation d'un collectionneur. « Entre mer et ciel » *(Maricel)*, les salles gothiques renferment retables à fond d'or et sculptures en bois polychrome. Le hall d'entrée,

décoré par Josep Maria Sert (1874-1945), auteur de fresques théâtrales et mari de Mysia, égérie des Ballets russes, est une curiosité. Au dernier étage, la collection Roig présente des maquettes de bateaux et des instruments nautiques.

❹ Hôtel-restaurant El Xalet★★

C. de la Isla de Cuba, 33-35
☎ 93 811 00 70
Mai-oct., t. l. j. 20h-23h30.

L'architecte Buigas bâtit cette villa moderniste au XIXᵉ s. Lorsque les *Indianos* – habitants qui avaient fait fortune à l'étranger à la fin du XIXᵉ s. – revinrent au pays, ils voulurent construire des résidences luxueuses. Sitges connut son heure de gloire et hérita de ces demeures.

En entrant dans la salle à manger de l'hôtel El Xalet, vous avez l'impression que la maîtresse de maison va apparaître en robe de satin. C'est l'endroit idéal pour goûter à une cuisine familiale mitonnée par Monsieur (env. 24 € ; ch. double 55 €).

❺ Museu Romàntic★

C. de Sant Gaudenci, 1
Informations pratiques : voir Museu Cau Ferrat.

Cette ancienne demeure de la famille Llopis date de 1793. Elle conserve le mobilier d'époque et les fresques de Pau Rigalt, retraçant la vie

de la cité à la fin du XVIIIᵉ s. Sacrifiez quelques instants à la collection de poupées anciennes, charmantes et délicates : joli chapeau, petit sac, manchon et ombrelle, elles vous observent de leur regard de porcelaine…

SANTIAGO RUSIÑOL (1861-1931)

Issu d'une famille bourgeoise enrichie pendant la révolution industrielle, il préféra la vie de bohème. C'était un Catalan fervent qui ne dédaigna pas les voyages à l'étranger, et des séjours à Paris lui permirent de cultiver ses bonnes relations avec les peintres montmartrois. Plus tard, il aida de nombreux artistes barcelonais à se faire connaître. Rusiñol organisa de 1892 à 1899 les Festes Modernistes, manifestations qui mariaient peinture, sculpture, musique et danse. C'est ainsi que Sitges devint la *Mekka del modernismo*.

Museu d'Història de la Ciutat

En 1931, la demeure gothique Casa Clarina-Padellàs, installée carrer dels Mercaders, fut transportée pierre après pierre sur la plaça del Rei pour abriter le musée d'Histoire. Sa visite vous fera découvrir les deux mille ans d'histoire de la ville à travers une promenade dans l'ancienne Barcino (Barcelone), ainsi que des expositions sur la vie quotidienne de l'époque, des objets trouvés lors de fouilles en ville et d'étonnantes reconstitutions.

Barcino ou la Barcelone romaine

En guise d'introduction, vous découvrirez le peuple ibère qui occupait la plaine de Barcelone avant l'arrivée des Romains. Une exposition est ensuite consacrée à l'ancienne Barcelone appelée *Barcino,* une ville romaine de 10 hectares entourée de remparts. Des vestiges de ces édifices publics comme les colonnes d'un temple du Ier s. av. J.-C. ou les remparts et les tours de défense du IVe s. ap. J.-C. sont d'ailleurs encore visibles dans le quartier du barrio Gótico.

L'ensemble archéologique

Situé dans les sous-sols de la ville et sur une surface de 4 000 m², cet ensemble archéologique est l'un des musées souterrains les plus importants d'Europe. Vous suivrez d'abord les murailles romaines au niveau de l'*intervallum,* une rue à rôle défensif qui faisait le tour de l'enceinte de la ville.

Le parcours se poursuit avec la visite d'un quartier consacré aux activités artisanales. Vous pourrez y observer des ateliers du IIe s. consacrés au lavage et à la teinture du linge ainsi qu'une manufacture du IIIe s. utilisée pour la salaison du poisson. Vous découvrirez enfin un ensemble épiscopal (IVe-VIIIe s.) composé d'un palais, du baptistère et de la salle de réception de l'évêque, ornée de peintures murales.

COORDONNÉES

Voir p. 37
Pl. del Rei
M° Jaume I
Voir plan F6/G6
☎ 93 315 11 11
Mar.-sam. 10h-14h
et 16h-20h, dim. 10h-14h
Entrée payante.

Museu Picasso

Le musée Picasso est installé depuis le 9 mars 1963 dans trois magnifiques résidences historiques du quartier de la Ribera : le palais gothique Berenguer d'Aguilar, le palais Baró de Castellet et le palais baroque Mecca. La collection du musée est constituée de trois mille pièces offertes pour la plupart par Jaime Sabartès, secrétaire et ami de Pablo Picasso. Des œuvres de jeunesse conservées par la famille catalane de l'artiste sont venues compléter la collection en 1968. Ce fonds exceptionnel en fait le musée le plus visité de Barcelone… N'hésitez pas non plus à faire une pause à la librairie ou au restaurant !

Les œuvres de jeunesse

La visite du musée débute par des dessins de Picasso lorsqu'il avait 9 ans et notamment par un surprenant *Autoportrait* au fusain. Des caricatures de ses professeurs, retrouvées dans les marges de ses cahiers, sont également exposées. La *Première Communion* (1895-1896) est la peinture que Picasso a présentée à l'exposition des Arts décoratifs de Barcelone. Enfin, la peinture à l'huile intitulée *Science et Charité*

(1897) dans laquelle son père joue le rôle d'un médecin, lui a permis de remporter un prix de l'académie des Beaux-Arts de Barcelone.

D'autres chefs-d'œuvre

Une salle du musée est consacrée à la série de 44 tableaux auxquels Picasso s'est consacré du 17 août au 30 décembre 1957 et qui reprennent des éléments de la grande composition de Velázquez, les *Ménines*. Pour finir, ne manquez

pas les dessins qui ont servi à préparer la fameuse toile *Guernica* (1937).

Les céramiques

La collection de céramiques se compose de 41 pièces offertes en 1982 par Jacqueline Picasso, la femme de l'artiste. Exécutées entre 1947 et 1965, elles permettent de percevoir les évolutions techniques et artistiques du travail du peintre.

COORDONNÉES

Voir p. 47
C. Montcada, 15-23
M° Jaume I
Voir plan G6
☎ 93 319 63 10
Mar.-dim. 10h-20h
Entrée payante.

Museu
d'Art Contemporani

Le MACBA est une référence dans le domaine artistique et culturel de la ville. Il permet d'appréhender agréablement la création artistique de notre époque. Inauguré le 29 novembre 1995, il présente chronologiquement des œuvres de la seconde moitié du XXᵉ s. d'artistes catalans, espagnols et étrangers.

Le bâtiment

La construction du MACBA par l'architecte américain Richard Meier fut intégrée dans un vaste projet de rénovation urbaine du quartier du Raval. Dans ce magnifique bloc blanc où se côtoient lignes droites et lignes courbes, la lumière naturelle est exploitée grâce à de larges ouvertures.

Les expositions temporaires

Le MACBA présente les pièces de son fonds de manière thématique, afin de montrer la diversité des lectures possibles d'une même œuvre. Par ailleurs, les expositions temporaires s'intéressent aux problèmes que pose la société moderne, au rôle de la création artistique et à la responsabilité de l'artiste.

La collection permanente

La collection s'articule autour de trois grandes périodes. La première, qui s'étend des années 1940 aux années 1960, présente les débuts de l'art moderne. Le langage artistique prend ici diverses formes tout en révélant une totale adéquation avec l'esthétique surréaliste. La seconde période commence dans les années 1960 et s'achève dans les années 1970, elle a pour emblème mai 68. Elle se caractérise par l'apparition de nouveaux modes d'expression d'artistes désireux de repenser l'art. Enfin, les œuvres de Penck, de Zush ou de Carlos Pazos nous dévoilent comment la collection des années 1970 à nos jours confirme l'utilisation des nouvelles technologies.

COORDONNÉES

Voir p. 44
Pl. dels Àngels, 1
Mº Catalunya
Voir plan F5
☎ 93 412 08 10
Lun.-ven. 11h-20h
(19h30 en hiver), sam.
11h-21h (20h en hiver),
dim. 10h-15h30
(15h en hiver).
Entrée payante.

Museu Nacional
d'Art de Catalunya

Le palais national de Montjuïc, construit en 1929 pour l'Exposition internationale de Barcelone, accueille depuis 1934 le musée national d'Art de Catalogne (MNAC). Sa collection d'arts roman et gothique a été constituée grâce aux trésors qu'abritaient de petites églises de Catalogne et d'Aragon.

L'art roman

À travers d'incroyables reconstitutions d'absides, de cryptes, de voûtes et même de chapelles, vous découvrirez la collection la plus importante au monde de fresques romanes. À voir également, les sculptures sur bois, les retables aux couleurs éclatantes et les objets iturgiques en bronze et en cuivre.

L'art gothique

La collection de peintures et de sculptures gothiques est tout aussi impressionnante. Parmi ces œuvres provenant de toute l'Espagne, ne manquez pas les retables gothiques de Jaume Huguet, dont *Saint Georges et la Princesse*, destinés à embellir les églises de Sant Agustí Vell ou de Santa Maria del Pi, les peintures de Bernat Martorell et *La Vierge des conseillers* de Lluís Dalmau. Cette multitude d'œuvres offre la possibilité d'observer l'évolution de la sculpture et de la peinture de cette période et de découvrir les influences subies – majoritairement flamandes et italiennes – et les différences de style.

Barcelone médiévale

De nombreux chefs-d'œuvre romans et gothiques sont issus des sanctuaires de Barcelone. Pour vous en convaincre, allez admirer la décoration sculptée de l'ancienne cathédrale romane du XIᵉ s., la série de chapiteaux de Sant Pere de les Puelles et les sculptures des couvents del Carme et de Sant Francesc.

COORDONNÉES

Voir p. 59
Parc de Montjuïc
Mᵉ Catalunya
Voir plan B3
☎ 93 622 03 75
Mar.-sam. 10h-19h,
dim. et fêtes 10h-14h30
Entrée payante.

Fundació Tàpies

Pour permettre une meilleure compréhension de l'art et de la culture du siècle dernier et pour encourager leur étude, l'artiste catalan Antoni Tàpies a créé en 1984 la fondation qui porte son nom. Le fonds de la collection provient en majeure partie de la donation de Teresa et Antoni Tàpies.

Le bâtiment

Entre 1880 et 1885, l'architecte Lluís Domènech i Montaner (1849-1923) construisit dans le quartier de l'Eixample un bâtiment destiné à accueillir la maison d'édition Editorial Montaner i Simón.
Un siècle plus tard, l'édifice fut réaménagé par les architectes Roser Amadó et Lluís Domènech Girbau pour abriter les œuvres de Tàpies.
Il se caractérise par la combinaison de plusieurs matériaux : le verre et l'acier sont utilisés pour la structure de l'édifice et la brique pour la façade. De grandes rosaces et des bustes de grands écrivains décorent l'extérieur. Enfin, au sommet de l'édifice, une sculpture de tubes d'aluminium intitulée *Nuage et Chaise* orne le toit.

La collection

Les œuvres exposées dans ce musée sont représentatives du parcours artistique d'Antoni Tàpies. Elles nous montrent l'importance qu'attribue le peintre à certaines techniques (le collage, le grattage, l'assemblage…) et son goût pour les matériaux de récupération ou les matériaux bruts comme la ficelle et le papier. Enfin, *Lithographie* (1948), qui reprend les couleurs du drapeau catalan, est caractéristique de la richesse des couleurs de ses toiles.

Le centre de recherches

En multipliant les manifestations culturelles (expositions temporaires d'art moderne et contemporain, conférences…), la fondation a vocation à être un centre de recherches dynamique. Par ailleurs, la bibliothèque spécialisée dispose d'une multitude de documents sur l'art et les artistes du XXe s. mais également sur la culture asiatique.

COORDONNÉES

Voir p. 64
C. d'Aragó, 255
M° Passeig de Gràcia
Voir plan D2
☎ 93 487 03 15
Mar.-dim. 10h-20h
Entrée payante.

Fundació
Thyssen-Bornemisza

La collection Thyssen-Bornemisza se compose d'œuvres italiennes, flamandes, allemandes, hollandaises, espagnoles et françaises datées du XIIIᵉ au XXᵉ s. Elles furent réunies par le baron Heinrich Thyssen-Bornemisza et son fils Hans Heinrich. Ce fonds exceptionnel permit de créer en 1992 un musée à Madrid et en 1993 une fondation à Barcelone. Les plus grands maîtres de la peinture européenne y sont présentés : Fra Angelico, Véronèse, Zurbarán, Velázquez, Rubens, Tiepolo…

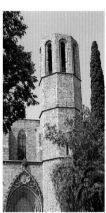

Le baroque tardif vénitien

Des peintures à thème religieux et des paysages urbains révèlent l'activité de Venise, devenue l'un des plus importants centres culturels et commerciaux de la Méditerranée au XVIIIᵉ s. *Le Bucentaure* (1745-1750) de Canaletto, par exemple, illustre l'expansion de la cité. Le doge, embarqué sur le *Bucentaure* et escorté par des gondoles richement décorées, se dirige vers la lagune pour y jeter un anneau en signe d'alliance avec la mer.

Le monastère de Pedralbes

En 1326, la reine Elisenda de Montcada (1293-1364) fonda le monastère de Pedralbes pour les religieuses de l'ordre de Sainte-Claire. L'ancien dortoir et la salle de réception situés au premier étage du bâtiment ont été restaurés pour accueillir sur plus de 900 m² les 72 peintures et les 8 sculptures de la fondation. Dans ce magnifique exemple d'architecture gothique catalane, arrêtez-vous pour admirer les fenêtres du XVᵉ s. et les arcs en ogive partiellement dissimulés par un plafond en bois du XVIᵉ s.

L'art médiéval

Parmi les 8 sculptures et les 17 peintures de primitifs italiens, ne manquez pas la *Vierge d'Humilité* (1433-1435) de Fra Angelico et la *Vierge à l'Enfant* de Titien qui influença les peintres vénitiens et notamment le Tintoret.

COORDONNÉES

Voir p. 67
Baixada del Monestir, 9 HP
☎ 93 203 70 10
Mar.-dim. 10h-14h
Entrée payante.

Fundació Joan Miró

En 1971, Joan Miró décide de créer un espace consacré à l'étude et à la diffusion de son œuvre et de l'art contemporain en général. Le centre d'art moderne de la fondation Miró fut ouvert au public le 10 juin 1975. Avec plus d'un millier de dessins, des peintures, des céramiques, des tapisseries, des décors de théâtre, des sculptures et des photographies, il s'agit de la collection la plus complète de l'artiste.

Le bâtiment
C'est un bâtiment moderne aux lignes pures que l'architecte Lluís Sert a conçu pour abriter la fondation. D'une clarté exceptionnelle, il met merveilleusement en valeur les œuvres de Miró et des autres artistes exposés (Calder, Ernst, Duchamp ou encore Matisse).

La collection
Le fonds de la collection a majoritairement été donné par Joan Miró, même si certaines pièces proviennent de la collection Joan Prats et de la collection Pilar Juncosa, l'épouse de l'artiste. Parmi les peintures exposées, ne manquez pas *Peinture*

d'après un collage (1933) qui utilise une technique devenue caractéristique de l'œuvre de l'artiste, l'étonnant *Autoportrait* (1937-1960) fait d'épais traits noirs et de 5 taches de couleur qui recouvrent un dessin à la mine de plomb et *L'Espoir du condamné à mort*, un triptyque dans lequel une ligne noire qui évoque d'abord le profil d'un visage ne cesse de se réduire à l'image de la vie et de l'espoir du condamné.

L'extérieur
N'oubliez surtout pas de visiter les jardins et l'immense terrasse de la fondation Miró. Outre une superbe vue sur Barcelone, vous pourrez admirer quelques-unes des sculptures de l'artiste.

Le centre de recherches
Très actif, il se compose d'une multitude d'archives et de 19 000 documents. Enfin, la librairie d'art contemporain

propose des catalogues, des brochures, des affiches et des objets très amusants.

COORDONNÉES

Voir p. 60
Parc de Montjuïc
M° Poble Sec ou Espanya
ou funiculaire Paral.lel
Voir plan B3
☎ 93 622 03 76
Mar.-sam. 10h-19h
(21h30 le jeu., 20h juil.-
sept.), dim. 10h-14h30
Entrée payante.

La Sagrada Família

La Sagrada Família est à la fois le symbole de Barcelone et le monument le plus célèbre d'Antoni Gaudí. Vivant comme un reclus dans l'édifice pendant plus de seize ans, il consacra sa vie à ce projet qu'il ne vit malheureusement jamais achevé. Depuis l'accident qui lui coûta la vie en 1926, il repose dans la crypte.

la Passion (côté ouest) et ses 4 tours achevées entre 1954 et 1976. Au milieu des tours, la nef est néanmoins toujours ouverte.

La visite
Vous devez donc vous attendre à découvrir un vaste chantier. Dans la partie construite de l'édifice, ne manquez pas la crypte achevée en 1882 par Francesc de Villar, l'abside néogothique et le dais de l'autel, tous deux d'Antoni Gaudí. Pour les plus courageux, l'ascension des 400 marches des tours offre un point de vue intéressant sur le reste de la cathédrale. Enfin, le musée situé dans la crypte expose des maquettes, les plans de Gaudí et de nombreux documents permettant de suivre les différentes étapes de construction.

Un projet ambitieux
En poursuivant en 1883 le projet néogothique commencé par Francesc de Villar, Gaudí sait déjà qu'il veut construire « une cathédrale du XXe s » qui prendra modèle sur l'exubérance de la nature. Avec 5 nefs et des dimensions verticales spectaculaires, l'édifice possédera des façades monumentales représentant la naissance, la mort et la résurrection du Christ. Des tours recouvertes de mosaïques symboliseront les 12 apôtres, les 4 évangélistes, la Vierge et le Christ.

Une œuvre inachevée
La construction de l'édifice est aujourd'hui encore loin d'être terminée. Des projets initiaux d'Antoni Gaudí, seuls quelques éléments ont été réalisés : située sur le côté est, la façade de la Nativité et son étonnante décoration (moulages sur le thème de la faune et de la flore, statues, frises en pierre) ; la façade de

COORDONNÉES

Voir p. 29
C. Sicilia, 286
M° Sagrada Familia
Voir plan E1
☎ 93 207 30 31
T. l. j. oct.-mars 9h-18h ;
9h-20h en été.
Entrée payante.

La Catedral

Dédiée à sainte Eulalie, l'une des deux patronnes de la ville, la cathédrale gothique de Barcelone se dresse sur l'emplacement d'une ancienne basilique paléochrétienne du IVᵉ s. à trois nefs (dont seul le baptistère nous est parvenu) et sur une chapelle romane du XIᵉ s. Sa construction débuta en 1298, mais c'est seulement en 1899 que sa façade fut achevée d'après les plans de 1408 de l'architecte français Charles Galtés.

L'intérieur

Autour de la nef haute de 26 m, vous découvrirez 28 chapelles qui abritent d'étonnantes peintures médiévales catalanes et les bas-reliefs du *Martyre de sainte Eulalie d'Ordónz*. Des stalles du XVᵉ s., réservées aux chanoines et ornées des armoiries de l'ordre de la Toison d'or, encerclent le chœur de la cathédrale. Parmi les chapelles rayonnantes de l'abside, ne manquez pas la capella de Sant Benet et le retable du XVᵉ s. de Bernat Martorell. Enfin, la crypte vous dévoilera le sarcophage en albâtre de sainte Eulalie.

Le cloître

Construit entre 1350 et 1448, ce petit havre de paix de forme rectangulaire se situe sur la partie droite de la cathédrale. Des chapelles richement décorées l'entourent sur trois de ses côtés. Remarquez notamment leurs grilles en fer forgé des XIVᵉ et XVᵉ s., *Le Christ de Lépante* (XVIᵉ s.) dans la capella del Santíssim Sagrament et la statue de saint Georges qui orne la fontaine.

Fêtes et traditions

Le jour de la Sainte-Lucie (le 13 décembre), le parvis de la cathédrale accueille une foire consacrée aux décorations de Noël et plus particulièrement aux santons. Une autre tradition, très populaire, consiste à se rassembler tous les dimanches midi devant la cathédrale pour danser la *sardana*, une ronde catalane.

COORDONNÉES

Voir p. 36
Mº Jaume I
Voir plan F5-6
☎ 93 342 82 60
Accès gratuit t. l. j.
8h-13h15 et 16h30-19h ; accès payant à la terrasse et au musée ; accès payant t. l. j. 13h30-16h30 incluant la visite du chœur, de la terrasse et du musée.

Santa Maria del Mar

L'église Santa Maria del Mar est située sur une charmante petite place du quartier de la Ribera, aucœur d'un dédale de rues qui, du XIIIe au XVIIe s., ont servi de cadre à des joutes, à des tournois, à des processions et à diverses célébrations. Cet ancien temple des armateurs et des marchands de la Barcelone gothique est l'un des monuments les plus sobres et les plus élégants de la ville. Sa construction, entamée en 1328 par les habitants du quartier et notamment par les marins, dura environ un demi-siècle. C'est notamment cette extraordinaire rapidité qui explique l'unité de style du bâtiment.

L'intérieur
Les trois nefs de Santa Maria del Mar sont pratiquement égales en hauteur et sont séparées par des colonnes de pierre massives.

COORDONNÉES

Voir p. 48
Pl. Santa Maria
M° Jaume I
Voir plan G6
T. l. j. 9h-13h30
et 16h30-20h, 10h le dim.
Entrée libre.

Ses somptueux vitraux, dont le *Couronnement de la Vierge* (XVe s.) de la rosace ouest, inondent de lumière les chapelles latérales. En visitant ce sanctuaire, vous ne serez alors pas étonné de savoir que beaucoup le considèrent comme le plus bel exemple d'architecture gothique méditerranéenne.

Une acoustique exceptionnelle
Les dimensions uniques de l'édifice font de Santa Maria del Mar l'endroit idéal pour organiser des concerts. Il paraît en effet qu'à l'intérieur un décalage de plusieurs secondes transforme une simple musique en puissante polyphonie.

Le drame de 1428
Alors que le nord de la Catalogne était frappé entre 1421 et 1433 par de nombreuses secousses telluriques, la rosace de Santa Maria del Mar s'effondra en 1428, tuant plusieurs personnes.

Palau de la Música

En 1908, le palais de la Musique catalane fut édifié sur le site d'un monastère fermé au XIXᵉ s. Conçu par Lluís Domènech i Montaner, il est aujourd'hui le symbole du modernisme catalan et des arts décoratifs de l'époque. En 1983, Òscar Tusquets dirigea les travaux de restauration et d'agrandissement de l'édifice. En 1997, le palais devint un bien culturel du Patrimoine mondial de l'Unesco.

Une construction audacieuse

La surface disponible étant réduite, Domènech a dû utiliser l'espace de façon astucieuse. Pour cela, la salle de répétition a été située au rez-de-chaussée et la salle de concert à l'étage. Par ailleurs, il a conçu une structure en fer laminé avec des piliers en retrait des façades capables de supporter le poids des arcs.

La façade

Sur la façade ornée de briques rouges, un groupe de Miquel Blay est dédié à la musique populaire de Catalogne. Une grande frise en céramique représente les chanteurs de l'Orfeó de Lluís Bru et des colonnes polychromes agrémentées de mosaïque portent les bustes de grands compositeurs (Palestrina, Bach et Beethoven).

La salle de concert

La lumière qui traverse les immenses vitraux aux motifs floraux de la coupole renversée crée une atmosphère inoubliable. Pour l'anecdote, sachez qu'il s'agit de la seule salle d'Europe éclairée par la lumière naturelle. Sur chaque côté de la scène, vous remarquerez des sculptures dessinées par Domènech mais achevées par Pau Gargallo : le buste de Josep Anselm Clavé (1824-1874) et celui de Wagner. L'immense orgue est entouré de deux balcons décorés de 18 statues de femmes jouant chacune d'un instrument de musique.

COORDONNÉES

Voir p. 46
Sant Francesc de Paula, 2
Mº Urquinaona
Voir plan G5
☎ 93 295 72 00
T. l. j. et toute l'année, visites guidées payantes en anglais ou en espagnol (durée 50 min) de 10h à 15h30, départ toutes les 30 min.

Parc Güell

Loin de l'agitation des grandes artères du centre-ville, une promenade dans le parc Güell vous fera pénétrer dans le monde enchanté du talentueux Gaudí. Situé sur une colline au nord de Barcelone, il vous offrira également une vue superbe sur la ville, la mer et la Sagrada Família, l'autre œuvre monumentale de l'artiste catalan.

Un projet colossal

En 1900, l'industriel Eusebi Güell eut l'idée de construire un complexe composé de soixante demeures privées, d'une chapelle, d'une usine et d'espaces aménagés pour les loisirs de la future communauté qui s'installera dans cette cité-jardin de 20 ha. Antoni Gaudí, chargé de réaliser ce projet, va ainsi pouvoir exprimer son savoir en matière d'architecture et donner libre cours à son excentricité. Malheureusement, des problèmes financiers mettent un terme à cette aventure. En 1923, le parc devint naturellement la propriété de la ville de Barcelone et

en 1984, il fut déclaré Héritage de l'humanité par l'Unesco.

Un monde fantastique

L'entrée principale du parc donne sur un imposant escalier en mosaïque de céramique et de verre qui vous mènera à la salle des Cent-Colonnes dont le plafond est orné de toutes sortes d'objets collés entre eux. Plus haut, la place du « Théâtre grec » ou « Théâtre de la nature » est délimitée par un long banc aux couleurs éclatantes qui ondule autour de l'amphithéâtre. Lors de votre balade, attendez-vous à croiser au détour des chemins des fontaines ornées d'animaux étranges, des grottes, des

arbres en pierre ou des statues, comme un magnifique lézard multicolore.

Le musée

Installé dans la maison que l'artiste habita de 1906 à 1926, la Casa Museu Gaudí vous dévoilera d'étonnantes pièces de mobilier, des dessins et des souvenirs personnels.

COORDONNÉES

Voir p. 28
Carettera del Carmel
HP
☎ 93 315 11 11
T. l. j. 6h-23h en été, 6h-20h en hiver.

Séjourner **mode d'emploi**

Hôtels

La ville manquait d'établissements de standing avant 1992. Depuis les JO, elle s'est dotée d'une excellente infrastructure d'accueil. Plus de 150 hôtels couvrent les besoins d'une clientèle internationale devenue exigeante. Si vous faites le choix de la vue sur la mer, sachez que vous serez au calme mais assez éloigné du centre ; en revanche, le centre-ville est bruyant (en particulier si vous prenez un hôtel sur la Rambla), demandez plutôt une chambre sur cour. Enfin,

SE REPÉRER

Nous avons indiqué à côté de chacune des adresses des chapitres Séjourner, Shopping et Sortir leur localisation sur la carte générale située à la fin de ce guide.

les hôtels dans les quartiers anciens sont inaccessibles en voiture, il faut souvent s'y rendre à pied.

Tarifs et conditions

Les hôtels répertoriés dans ce guide sont répartis en quatre catégories.
Les trois catégories supérieures incluent le téléphone, la télévision et la salle de bains dans la chambre, la dernière sera plus basique. En général, le petit déjeuner n'est pas compris dans le prix.
Les lits pour enfant sont également en supplément.
Il n'existe pas de distinction entre les chambres fumeur ou non-fumeur.

Tarifs hors taxes pour une chambre double :

★★★★★ : à partir de 200 €.
★★★★ : à partir de 120 €.
★★★ : à partir de 90 €.
★★ : à partir de 50 €.

Si vous désirez la liste complète des hôtels de Barcelone, adressez-vous au **Gremi d'Hotels de Barcelona :** Via Laietana, 47
☎ 93 301 62 40
🄵 93 301 42 92.

Vous pouvez réserver de France en faxant ou en téléphonant, on ne vous demandera pas d'arrhes, il suffira de payer sur place. N'arrivez pas avant 12h pour prendre possession de votre chambre, l'hôtel n'est pas tenu de l'avoir libérée.

Les tarifs « fin de semaine »

Sachez aussi que de nombreux hôtels pratiquent le prix « *fin de semana* » ou tarif « week-end », extrêmement avantageux puisqu'il permet une remise allant jusqu'à 50 % du prix normal. Vous avez tout intérêt à choisir un hôtel de catégorie élevée accordant ce rabais, car vous paierez le même prix que dans un hôtel moyen n'accordant pas de tarif préférentiel. Demandez et insistez toujours au moment de la réservation pour savoir si ces conditions sont en vigueur dans l'hôtel de votre choix. Sinon, vous pouvez passer par :

L'office du tourisme :
Plaça de Catalunya 17-S (F5)
☎ 93 285 38 34 ou
☎ 90 207 66 21
F 93 368 97 01
T. l. j. 9h-21h.

Bureau touristique :
Sant Jaume
C. de la Ciutat, 2 (F6)
(lun.-sam. 10h-20h, dim. 10h-14h).
Cet organisme se chargera de réserver votre hôtel aux conditions « *fin de semana* » (35 hôtels sélectionnés) et vous fournira une Barcelona week-end/BIP card (Barcelona Important Person) avec des avantages sur les restaurants, musées, spectacles, location de voiture…

Les prix « *fin de semana* » se pratiquent toute l'année pendant le week-end (ven.-dim.) et t. l. j. du 21 juin au 11 sept. : c'est donc une opportunité à saisir. Voici les tarifs, hors taxes, par personne pour une chambre double :

★★★★ : env. 110 €.
★★★ : env. 80 €.
★★ : de 45 à 60 €.

Restaurants

La cuisine catalane est une alchimie subtile qui mêle les produits de la mer et de la montagne. Poissons et fruits de mer préparés au gril *(parillada)* ou en sauce *(sarsuela)*, ou encore en

À QUELLE HEURE ?

Les horaires des repas sont particuliers en Espagne. Les déjeuners sont servis de 13h30 à 15h, et les dîners de 21h à 23h30. Ne vous présentez pas avant, vous tomberiez à l'heure du repas du personnel de service ! Presque tous les restaurants acceptent les cartes de crédit. Le pourboire n'a rien d'obligatoire mais il est toujours plus aimable de laisser environ 10 % de l'addition.

soupes *(suquet)* à déguster la serviette autour du cou. La montagne est à l'honneur avec ses cochonnailles *(embutits)* et salaisons variées, ses fèves et haricots blancs, ses champignons *(rovellons)*. Pas l'ombre d'une hésitation lorsque l'on vous présente la *crema catalana*, crème brûlée ou les *coques* (galettes). *Bon profit !*
Pour connaître les subtilités de la cuisine catalane et le mode d'emploi des tapas, rendez-vous p. 10 : vous aurez ainsi une idée des spécialités à goûter au moins une fois au

cours de votre séjour.
L'été, nous vous conseillons de vous installer dans les hauts de la ville (Tibidabo) ou sur le port pour profiter de la moindre brise. Beaucoup de terrasses ombragées dans le centre-ville accueillent les plus pressés. En général, il ne faut pas réserver, sauf si vous décidez de vous rendre dans le restaurant à la mode du moment, passez alors par le concierge de votre hôtel pour une réservation. Les Barcelonais ne sont pas formalistes, vous pourrez vous habiller à votre guise, sans apprêt, pas de cravate obligatoire.

Hôtels

1 - Hotel Neri
2 - Banys Orientales
3 - Park Hotel
4 - Hotel Abba Rambla

Barrio Gótico

Colón★★★★★

Av. de la Catedral, 7 (F5)
M° Jaume I ou Catalunya
☎ 93 301 14 04
✆ 93 317 29 15.

Joan Miró était un habitué des lieux. Face à la cathédrale, demandez une chambre avec balcon donnant sur la place pour suivre l'évolution des sardanes dominicales ! Sa situation exceptionnelle (à deux pas de la plaça Nova) favorise les balades à pied dans le quartier gothique (voir p. 36).

Hotel Neri★★★★★

C. Sant Sever, 5 (F5)
M° Jaume I
☎ 93 304 06 55
✆ 93 304 03 37.

Sur la jolie place fermée Felipe Neri, un petit palais XVIIIe s. abrite l'hôtel-restaurant le plus charmant de la ville. 22 chambres se répartissent sur 3 étages ayant chacun leur style propre. La décoration épurée est l'œuvre de la styliste catalane Cristina Gabas : bois brut, salles de bains en pierre, fresques pour têtes de lit. Ne manquez pas la ravissante terrasse aménagée sur le toit, avec douche extérieure et vue sur la cathédrale.

Ramblas

Méridien Barcelona★★★★★

La Rambla, 111 (F5)
M° Catalunya
☎ 93 318 62 00
✆ 93 301 77 76.

Au cœur de la Rambla se trouve l'hôtel préféré des stars. Ici ont séjourné Michael Jackson, Bruce Springsteen, les Rolling Stones, Oasis, Placido Domingo et bien d'autres… Ce véritable palace dispose de 212 chambres confortables et sophistiquées. Nombreux services haut de gamme proposés.

Hotel Montercarlo★★★

La Rambla, 124 (F5)
M° Catalunya
☎ 93 412 04 04
📠 93 318 73 23.

Au cœur des Ramblas, c'est un point de départ stratégique pour vos promenades à pied dans le barrio Gótico ou le Raval. La façade début du XXe s. abrite 55 chambres au design contemporain. Certaines ont un Jacuzzi. Beaucoup de gentillesse à la réception.

Raval

Jardí★★

Pl. Sant Josep Oriol (C3)
M° Liceu
☎ 93 301 59 00
📠 93 342 57 33.

Pour prendre le pouls de la ville, un établissement merveilleusement situé dans le quartier piétonnier de la place del Pi. Les chambres donnent sur le pin et les saltimbanques en tout genre. Un petit hôtel à prix doux, qui a notre préférence dans cette catégorie.

Hotel Abba Rambla★★★

Rambla del Raval, 4 (C3)
M° Liceu
☎ 93 505 54 00
📠 93 505 54 01.

Le quartier du Raval s'embellit. Prenez la ravissante Rambla éponyme plantée de palmiers gigantesques, profitez des quelques bistrots charmants sur les côtés, et vous ne voudrez plus la quitter. Nous vous conseillons alors de réserver une chambre dans cet hôtel tout neuf, design et confort, idéalement situé. Et demandez une chambre sur la Rambla, bien sûr !

Sant Agustí★★★

Pl. Sant Agustí, 3 (F5)
M° Liceu

☎ 93 318 16 58
📠 93 317 29 28.

Sur une place ombragée et tranquille, à deux pas des Ramblas, cet établissement côtoie l'église Saint-Augustin. Demandez les chambres sous les combles avec poutres apparentes, qui sont vraiment séduisantes. Le parking ne pose pas de problème dans le quartier.

España★★

C. de Sant Pau, 9 (C3)
M° Liceu
☎ 93 318 17 58
📠 93 317 11 34.

Pour les inconditionnels d'Art nouveau, les salles à manger, dessinées par Domènech i Montaner, sont incontournables. Au cœur du barrio Chino, les lieux entretiennent le souvenir d'un temps révolu… la restauration aussi d'ailleurs. Si vous désirez profiter de ces charmes, vous pouvez vous contenter du petit déjeuner dans un cadre étonnant et prendre une chambre sur le patio intérieur.

Ribera

Banys Orientales★★

C. de l'Argenteria, 37 (G6)
M° Jaume I
☎ 93 268 84 60
📠 93 268 84 61.

Voici l'hôtel le plus couru de Barcelone, et pour cause ! Sis dans un ancien immeuble d'habitation du quartier du Born, son charme discret et sa simplicité envoûtent tous ceux qui y passent. Des corridors ornés de reproductions antiques desservent des chambres très design et dépouillées, au mobilier sobre et carré. Une adresse chic et bohème à prix d'ami, réservée à ceux qui s'y prennent *très* à l'avance.

Park Hotel★★★

Av. Marquès de l'Argentera, 11 (G6)
M° Barceloneta
☎ 93 319 60 00
📠 93 319 45 19.

Cet hôtel Art déco récemment rénové est plein de charme. Briques de verre, petits carreaux de céramique, bar extérieur en arrondi, cage d'escalier rose framboise, chambres zen et minimalistes, le tout à deux pas du port et du quartier du Born. Prix raisonnables mais refusez les chambres sur l'avenue : il y a trois autres côtés sur des petites rues calmes, dont celle de l'entrée du restaurant étoilé Abac, au rez-de-chaussée de l'hôtel.

Port Olympique

Arts Barcelona★★★★★

C. de la Marina, 19-21 (E4)
M° Ciutadella–Vila Olímpica
☎ 93 221 10 00
📠 93 221 10 70.

En bord de mer, les businessmen et les élégants trouveront chambres et suites raffinées équipées high-tech avec une vue imprenable sur la baie et le port Olympique. *Bar terraza* et piscine pour peaufiner votre bronzage.

Eixample

Claris★★★★

C. de Pau Claris, 150 (D2)
M° Passeig de Gràcia
☎ 93 487 62 62
📠 93 215 79 70.

L'ancien palais des comtes Vedruna accueille les voyageurs esthètes, sensibles à la collection d'objets égyptiens. Chacune des 120 chambres est décorée d'antiquités, tableaux et mobilier anglais du XVIIe s. ou moderniste ; bar privé pour dégustation de foie gras, saumon et caviar frais : la vie de château au palais !

Ritz★★★★★

Gran via de les Corts Catalanes, 668 (D2)
M° Passeig de Gràcia
☎ 93 318 52 00
📠 93 318 01 48.

Voilà l'hôtel idéal pour un caprice d'un soir et les charmes de l'hôtellerie à l'ancienne. Salvador Dalí exigeait une suite pour la statue de son cheval, contentez-vous d'une offre spéciale week-end, selon les disponibilités. Rendez-vous amoureux et gourmets garantis dans ce palace…

Hotel Jazz★★★

C. de Pelai, 3 (C2)
M° Catalunya ou Universitat
☎ 93 522 96 96
📠 93 522 96 97.

Même rue que l'hôtel Inglaterra : passante mais bien située. La grande façade rouge de l'entrée joue les transparences et laisse entrevoir un joli bar design au premier étage, ouvert au public. Dans ce bel immeuble de facture récente, les chambres sont sobres, spacieuses et de grand standing, avec en prime une jolie piscine sur la terrasse en teck du 8e étage. L'adresse commence à être connue… Les prix suivent.

Alexandra★★★★

C. de Mallorca, 251 (D1)
M° Diagonal
☎ 93 467 71 66
📠 93 488 02 58.

Les 100 chambres design, en bois cuivré, en font une étape pratique à deux pas de la zone commerçante de la ville. Demandez une chambre sur cour qui vous donnera une idée de la profondeur des pâtés de maisons de l'Eixample.

Hotel Inglaterra★★★★

C. de Pelai, 14 (C2)
M° Catalunya ou Universitat
☎ 93 505 11 00
📠 93 505 11 09.

Vous êtes près de la plaça de Catalunya, quartier central entre le barrio Gótico et l'Eixample, dans un ancien immeuble d'habitation néo-classique

récemment reconverti. L'architecte a conservé les entrées des appartements, les bow-windows, la cage d'escalier. On aime son confort impeccable (un peu froid), mais surtout son partenariat avec l'hôtel Majestic du paseo de Gràcia, dont vous pourrez jouir de la piscine !

Hotel Omm★★★★★

C. del Rosselló, 265 (C1/D1)
M° Diagonal
☎ 934 454 000
📠 934 454 004.

Une poignée de restaurants à la mode, un hôtel de luxe, bientôt un spa : l'empire Tragaluz ne cesse de s'étendre, convertissant tous ceux qui s'y piquent. L'hôtel à la façade de marbre qui ondule comme la mer est l'escale préférée des businessmen, avec sa décoration stylée, son mobilier signé, sa piscine sur le toit. Catalans huppés et autres globe-trotters *in* s'y retrouvent pour son bar, son restaurant et sa boîte de nuit branchés.

St Moritz★★★★

C. de la Diputació, 264 (D2)
M° Passeig de Gràcia
☎ 93 412 15 00
📠 93 412 12 36.

Un hôtel très central, dont le jardin intérieur est appréciable l'été. La façade néoclassique est imposante comme la taille des chambres équipées du satellite… Accueil très attentionné. Une salle de gym vous attend s'il vous reste encore assez d'énergie après les achats sur le paseo voisin.

Diagonal

Rey Juan Carlos I★★★★★

Av. de Diagonal, 661 (HP)
M° Zona Universitària
☎ 93 364 40 40
📠 93 364 42 32.

1 - Hotel Omm
2 - Romàntic
3 - Hotel Neri
4 - Hotel Jazz

Le dernier-né des hôtels ouverts en 1992. Pendant les JO, il accueillait les chefs d'État du monde entier. Son hall d'entrée évidé est impressionnant, les 412 chambres sont distribuées tout autour comme dans les coursives d'un paquebot. Un peu excentré, il a l'avantage de bénéficier d'espace pour ses jardins, terrasses et piscine.

Gran Derby★★★★★

C. de Loreto, 28 (B1/C1)
M° Hospital Clinic
☎ 93 322 20 62
📠 93 419 68 20.

À voir la façade de brique, on se croirait en plein cœur de Londres, à Chelsea, et pourtant le délicieux jardin baigné de soleil ne laisse pas de doute : vous êtes bien à Barcelone, près du quartier du Turò Parc aux vitrines luxueuses. Chambres en duplex à la pointe du design. Le personnel se mettra en quatre pour vous réserver entrées de concert, voiture, excursion à Montserrat…

Sitges

San Sebastian★★★★

C. Port Alegre, 53 (HP)
☎ 93 894 86 76
📠 93 894 04 30.

Face à la petite baie San Sebastián, les 51 chambres pimpantes de cet hôtel unissent l'utile à l'agréable. La terrasse ensoleillée invite à la nonchalance et à la douceur de vivre. Une adresse pour assouvir votre soif de plage et vos envies de farniente (voir p. 68-69).

El Xalet★★

C. de la Isla de Cuba, 35 (HP)
☎ 93 811 00 70
📠 93 894 55 79.

Voilà une villa moderniste parfaitement conservée, installée dans un jardin luxuriant avec piscine. Les 10 chambres sont décorées de meubles chinés dans les brocantes. Accueil familial et cuisine du marché mitonnée par Monsieur sauront séduire les amateurs d'ambiance tranquille et feutrée.

Romàntic★★

C. Sant Isidre, 33 (HP)
☎ 93-894 83 75
📠 93 894 81 67
F. oct.-mars.

Un amoureux des lieux a sauvé trois maisons modernistes pour créer cette étape de charme. Le patio, véritable havre de paix, enchante les voyageurs. Le propriétaire se fait un plaisir de partager son goût nostalgique pour le modernisme. Demandez une chambre avec balcon sur jardin.

Restaurants

1 - Living
2 - Semproniana
3 - Flash-Flash

Barrio Gótico

Living

C. dels Capellans, 9 (F5)
Mº Urquinaona
☎ 93 412 13 70
Lun.-jeu. 9h-1h,
ven.-sam. 9h-3h.

Une grande pièce rectangulaire avec un bar sur toute la longueur, beaucoup de hauteur sous plafond, des colonnes de pierre et des tables acidulées forment le décor de ce petit restaurant informel à la carte qui se cherche. Aux beaux jours, une petite terrasse se déploie sur le vide urbain voisin. N'y manquez pas leurs sympathiques séances de cinéma en plein air l'été.

Hostal el Pintor★★

C. St Honorat, 7 (F6)
Mº Jaume I
☎ 93 301 40 65
Ouv. t. l. j.

Jouant sur un décor air du temps — poutres, briques apparentes, tommettes patinées — l'endroit est plaisant et bien situé, juste derrière la cathédrale. Sa carte raconte le grand Sud avec ses asperges au saumon mariné et son colin aux poireaux grillés à l'ancienne.

El Gran Café★

C. d'Avinyó, 9 (F6)
Mº Liceu
☎ 93 318 79 86
Ouv. t. l. j.

Avec son percolateur en cuivre, son carrelage en damier noir et blanc, ses tables bistrot et nappes amidonnées, cette salle a des allures de brasserie parisienne 1900. Demandez au *Señor* Ramon à visiter sa *bodega*. Véritable cave à vins d'un connaisseur, le patron sera en prime ravi. Menu à midi à 11,40 €.

Ramblas

La Verónica★

C. d'Avinyó, 30 (F6)
☎ 93 412 11 22
Mar.-dim. 19h30-1h.

Ambiance *fashion* et bruyante pour ce restaurant-pizzeria où l'on observe un va-et-vient ininterrompu de jeunes gens hétéroclites. La cuisine elle aussi saura vous surprendre, avec ses pizzas pommes-gorgonzola, ses quiches et ses desserts délicieux.

Los Caracoles

Pg dels Escudellers, 14 (F6)
M° Jaume I
☎ 93 302 31 85
Ouv. t. l. j.

Ne vous fiez pas aux poulets qui rôtissent dehors, ni même au nom (les escargots) de ce petit restaurant rustique du quartier gothique dont la spécialité est… la paella de fruits de mer ! Bar à tapas et restaurant sont séparés par une cuisine ouverte sur la salle, où l'on peut voir les plats mijoter. Un joyeux brouhaha résonne entre les azulejos. Les petites tables en bois n'attendent que votre appétit et votre bonne humeur.

Ribera

El Salero★

C. del Rec, 60 (G6)
M° Barceloneta
☎ 93 319 80 22
F. sam. midi et dim.

Un petit look new-yorkais et un charme décalé pour ce café-bar-restaurant au public chic et branché. Décor blanc, sélection d'objets chinés aux puces de Londres… Ambiance cosmopolite et sélecte. Excellents tartares, *tempura*, desserts, salades et bonne musique au programme.

Arrel★★

C. Fusina, 5 (G6)
M° Jaume I
☎ 93 319 92 99
Mar.-sam. 13h-15h30 et 21h-23h30, dim. 13h-15h30.

Plutôt sobre dans son décor, ce loft aux briques blanches et au zinc en aluminium est la dernière adresse où il faut être vu. Testez la carte du bar, nous vous recommandons les lasagnes de légumes nappées de tomates et de fromage de chèvre. Point de départ idéal pour faire la tournée des bars de la place del Born, quartier le plus *in* actuellement. Ne restez pas *out* !

Cal Pep★★

Plaça de les Olles, 8 (G6)
M° Jaume I ou Barceloneta
☎ 93 310 79 61
F. dim. et lun. midi.

Il faut s'installer à la *barra*, et dévorer sur le zinc les suggestions du chef. Devant vous, il concocte fritures et plats du jour : *supions* et *tellines* à l'ail, artichauts grillés, *pulpitos* et coquillages au basilic. Laissez-vous guider par un Pep frénétique, et savourez cette tranche de vie.

La Paradeta

C. Comercial, 7 (G6)
M° Barceloneta
☎ 932 68 1939
Mar.-ven. 20h30-minuit, sam.-dim. 13h-16h et 20h30-minuit.

Point de carte, de serveurs, ni même de service dans cette chaleureuse cantine de fruits de mer où se pressent familles, étudiants, amis de sortie… et vous. Comme au marché, vous payez au poids vos calamars, crabes, petits poulpes, et autres gambas choisis sur un étalage. Puis vous choisissez la cuisson, vous allez vous asseoir, et on vous appelle quand c'est prêt. À la bonne franquette !

Le Port

Reial Club Maritim★★

Moll d'Espanya (C4/D4)
M° Barceloneta
☎ 93 221 62 56
F. dim. soir et lun. toute la journée.

Tournant le dos au Maremagnum high-tech, ce petit coin garde des airs de club d'officiers d'un autre temps. La vue sur la passerelle aérienne, Rambla de Mar, et les paquebots en partance pour les îles se conjuguent aux plaisirs des papilles : bar au romarin, soupe de poisson, pâtes fraîches aux gambas. Bon voyage !

Barceloneta

Els Pescadors★★★

Pl. de Prim, 1 (HP par E3)
M° Poble Nou
☎ 93 225 20 18
Ouv. t. l. j.

Au-delà du village olympique, une délicieuse terrasse pour profiter de la douceur de l'air : on se croirait sur une place ombragée de Montevideo. Choisissez plutôt la salle *antigua* avec ses tables de marbre que le design impersonnel de la *moderna* : poivrons grillés au four, riz noir à l'encre, morue au miel.

Barceloneta★★

L'Escar, 22,
Moll dels Pescadors (D4)
M° Barceloneta
☎ 93 221 21 11
Ouv. t. l. j.

Pour gars des îles en costume trois pièces : bois, cordages et voiles rugueuses feutrent l'ambiance de ce lieu dominant le Port Vell. Les baies vitrées, caillebotis, boiseries et nappes en toile à rayures rouges et bleues contribuent à ouvrir l'appétit aussi sûrement que l'air du large !

Cal Pinxo★★

C. del Baluard, 124
Platja Barceloneta (D4)
M° Barceloneta
☎ 93 221 50 28
Ouv. t. l. j.

À défaut de *chiringuitos* (voir p. 57), l'établissement nouvelle vague poursuit la traditionnelle cuisine des gargotes de pêcheurs : *fideus a la cassola*, paella avec des pâtes, *mariscos*, fruits de mer et lotte sauce ailloli en *cazuela*, prenez une table à l'étage et jetez l'ancre !

Eixample

Casa Calvet★★★

C. de Casp, 48 (D2)
M° Urquinaona
☎ 93 412 40 12
F. dim. et jours fériés.
Installée dans une des maisons construites par Gaudí (voir p. 28), cette ancienne entreprise textile a des allures de loft avec ses poutres en bois et ses murs stuqués à l'ancienne. Voici quelques recommandations maison : salade de coques, lasagnes fraîches aux langoustines, filets de sole au *cava* et mousse au chocolat blanc.

Flash-Flash★

C. de la Granada del Penedès, 25 (C1)
M° Diagonal
☎ 93 237 09 90
T. l. j. 13h-1h.
Déjà trentenaire, le Flash-Flash est pourtant resté un lieu intemporel. Son style est toujours aussi glamour et inimitable.

Dans un cadre noir et blanc très photographique et pop art, l'on peut déguster une grande variété d'omelettes et les meilleurs hamburgers de la ville. De plus, le service est irréprochable.

Semproniana★★

C. del Rosselló, 148 (C1)
M° Diagonal
☎ 93 453 18 20
Lun.-sam. 13h30-16h et 21h-23h30.

Beaucoup de charme pour cette ancienne imprimerie : décoration cosy, éclairage aux bougies et mobilier chiné retiennent le gourmand. Pour qui veut découvrir une cuisine catalane créatrice, voici des plats à déguster : lasagnes de boudin noir, bar à la menthe ou *Delirium tremens* de chocolat.

Madrid-Barcelona★

C. d'Aragó, 282 (D2)
M° Passeig de Gràcia
☎ 93 215 70 27
Ouv. t. l. j.

À deux pas de la fondation Tàpies, cette ancienne gare de ligne de chemin de fer s'est transformée en bar à tapas : omelettes, calamars, aubergines… Mode d'emploi : une tranche de nostalgie à bon compte.

Thai Gardens

C. de la Diputació, 273 (D1)
M° Plaça de Catalunya
☎ 93 487 98 98
T. l. j. 13h30-16h et 20h30-minuit.

Finesse et raffinement caractérisent cet élégant restaurant thaïlandais aménagé en une succession de jardins intérieurs. La carte offre un grand choix de mets aux saveurs lointaines et aigres-douces, mêlant épices et aliments importés, décorés de fruits inconnus. Des serveuses à la beauté

exotique s'occupent de vous avec tout le cérémonial de là-bas. Dépaysement garanti.

Hauts de la ville

A Contraluz★★

Milanesado, 19 (HP)
(via Augusta esq. Dr Roux)
S'y rendre en taxi
☎ 93 203 06 58
Ouv. t. l. j.

Dernier-né de la famille du Tragaluz (voir p. 63), le cadre spacieux et la terrasse en été vous feront oublier la ville. Régalez-vous d'un risotto aux bolets, d'un foie gras aux petits oignons, d'un feuilleté de pommes de terre et de cèpes… Comme pour la plupart des restaurants de Barcelone, profitez du menu de midi (17 €) pour déguster cette cuisine catalane revisitée.

La Balsa★★★

C. Infanta Isabel, 4 (HP)
Ferrocarril Av. Tibidabo
☎ 93 211 50 48
F. dim. soir et lun. soir.

Blottie sur la colline du Tibidabo, cette maison discrète offre un auvent de paille perdu dans la verdure. Dessinée par l'architecte O. Tusquets, elle fut primée en 1979. C'est une oasis de fraîcheur, aux canapés confortables et livres à disposition. Légers, comme l'air qu'on y respire, le tartare de colin et le sorbet aux fruits rouges.

Can Travi Nou★★

C. Jorge Manrique (HP)
S'y rendre en taxi
☎ 93 428 03 01
F. dim. soir.

Dans les hauts de la ville, ce mas catalan a des airs de maison de famille. Une treille se love sous la pergola et s'enroule au bonheur de savourer les délices d'une cuisine de terroir. Si le charme latin vous séduit, passez

1 - Agua
2 - Living
3 - Reial Club Maritim
4 - Quinze Nits

commande auprès de Monsieur, gominé et stylé !

La Venta★★

Pl. del Doctor Andreu (HP)
S'y rendre en taxi
☎ 93 212 64 55
F. dim.

Cette guinguette couleur pastel, juchée en haut du Tibidabo, a gardé un esprit fin XIXᵉ s. et il s'en dégage un charme désuet. C'est un endroit rêvé pour rendez-vous amoureux, blottis près du poêle l'hiver, ou songeurs sur la terrasse en été, partageant un *matò de panses amb melles*, douceur au miel et aux raisins de Corinthe.

El Asador de Aranda★★

Av. del Tibidabo, 31 (HP)
S'y rendre en taxi
☎ 93 417 01 15
F. dim. soir.

On vient ici pour le décor : l'entrée mauresque de cette maison moderniste évoque un harem. En été, sur la terrasse,

on sert invariablement l'épaule d'agneau grillée dans un four à charbon artisanal. Avant de partir, grimpez dans la tour au belvédère unique.

Bonanova★

C. Sant Gervasi de Cassoles, 103 (HP)
Ferrocarril Catalanes
☎ 93 417 10 33
F. dim. soir et lun.

Ce restaurant familial évoque une salle de jeux 1900. Le décor moderniste n'a pas pris une ride : azulejos colorés, carrelage noir et blanc, miroirs ternis... Du lapin aux escargots à la savoureuse friture de poissons, la carte hésite entre terre ferme et grand large. À vos boussoles, elle vaut vraiment le détour !

Sitges

Maricel★★

Pg de la Ribera, 6 (HP)
☎ 93 894 20 54
F. mercredi.

Sur le paseo, face à la baie, Maricel est une adresse classique pour la cuisine méditerranéenne : *paella marinera*, avec poissons frais ; *escalivada*, poivrons, aubergines, oignons marinés dans l'huile d'olive... Madame est française, ce qui peut aider pour lire le menu catalan.

MAIS AUSSI

Pensez aussi à :
• Agua (voir p. 57)
• Quinze nits (voir p. 43).

Cafés, salons de thé

1 - La Nova Estrella
2 - Caelum
3 - Caelum

Caelum

C. de la Palla, 8 (F5)
Mº Liceu
☎ 93 302 69 93
• Boutique et salon de thé :
Lun. ap.-midi, mar.-jeu.
10h30-20h30, ven.-sam.
10h30-1h, dim. 11h30-
20h30
• Restaurant : 15h30-20h30
(23h le sam).

« Délices et autres tentations
des monastères » annonce ce
salon de thé-restaurant-bouti-
que insolite sur deux niveaux.
Le sous-sol occupe de magnifiques bains publics du XIVᵉ s.
Dans un décor au charme
suranné – pierre apparente,

mobilier en bois peint, chaises
paillées, tons doux et ambiance
tamisée – découvrez toutes
sortes de recettes médiévales,
vins de messe, confitures à l'ex-
trait de rose, draps brodés…
fabriqués dans les monastères
sous le sceau du secret. À déguster sur place ou à emporter.

Granja Viader

C. d'en Xuclà, 4-6 (F5)
Mº Catalunya
☎ 93 318 34 86
T. l. j. 9h-14h et 17h-20h30
sf dim. matin et lun. matin.

Une *granja*, c'est la formule,
de 7 à 77 ans, du salon de

thé populaire. Petits vieux du
quartier, poètes underground,
Barcelonaises girondes à cabas,
c'est ici que vous trouverez la
meilleure crème catalane, le
chocolat suisse, avec crème
Chantilly et les madeleines
artisanales au citron.

Bar Jardin

C. de la Portaferrissa, 17 (F5)
Mº Liceu
☎ 93 302 59 09
Lun.-sam. 13h-20h30.

À l'entrée de la boutique Merca-
dillo, un chameau signale une
oasis qui cache une verrière, des
petites tables de jardin, et des sofas
pop – recyclés – à l'intérieur :
refuge enchanteur des cyberpunks,
et de la faune *street wave*.

Bon Mercat

Baixada de la Llibreteria, 1
Mº Jaume I (G6)

☎ 93 315 29 08
T. l. j. sf dim. 8h-20h.

Pour 2,5 €, vous voyagerez sur les arômes de café du Guatemala, du moka d'Éthiopie ou en haute altitude, *gran altura mezcla*, le temps d'un petit noir bien serré ou d'un *tallat*, petit crème. À savourer au comptoir embouteillé, avec un *bocadillo*, en-cas de 11h.

El Xampanyet

C. de Montcada, 22 (G6)
M° Jaume I
☎ 93 319 70 03
Mar.-sam. 12h-16h et 18h30-23h30, dim. 12h-16h.

On tient ce petit estaminet de père en fils, depuis 1929. Azulejos colorés, gourdes au plafond et barriques de vin plantent le décor de ce sympathique café : anchois, olives, poissons marinés et petit vin blanc du Penedès.

La Bascula de la Cereria

C. dels Flassaders, 30 bis (G6)
M° Jaume I
☎ 93 319 98 66
Lun-sam 13h-minuit.

Une coopérative de travail a transformé une ancienne usine de chocolat en restaurant et lieu de vie informel et convivial. Les volumes et les matériaux bruts de l'usine sont toujours là, mais à la place du chocolat, les associés-travailleurs vous préparent des plats simples et végétariens à consonance bio, des desserts maison, un grand choix de thés et d'infusions. Même du maté à l'argentine.

Horchateria Sirvent

C. del Parlament, 56 (C3)
M° Sant Antoni
☎ 93 441 27 20
Ouv. t. l. j.

Près de la Ronda Sant Pau, vous pourrez assouvir votre soif d'*horchata*, sirop d'orgeat, ou de glace au *turrón*, pâte d'amandes. On y vient traditionnellement hésiter entre *granizada* de café, glace pilée aromatisée, et un cornet pompadour. À déguster sans arrière-pensée, l'adresse vaut bien un petit écart au régime !

Bar del Pi

Pl. Sant Josep Oriol, 1(C3)
M° Liceu
☎ 93 302 21 23
T. l. j. sf mar.

La place del Pi est certainement la terrasse la plus séduisante et la plus agréable de la ville. Rendez-vous des intellectuels, de la gauche divine, des artistes en mal d'inspiration, la maison met des journaux à disposition et le percolateur donne le change aux sons des tam-tams et saxos de la place !

Café de l'Hivernacle

Parc de la Ciutadella, passeig Picasso (D3)
M° Ciutadella ou Arc de Triomf
☎ 93 295 40 17
T. l. j. 9h-minuit, sf dim. 9h-17h.

Une serre datant de l'Exposition de 1888 est devenue le café-jardin le plus romantique de l'été : plantes luxuriantes, chats ronronnants et fontaine chantante font écho le mercredi à un orchestre de jazz.

Mauri

Rambla de Catalunya, 102-103 (D2)

M° Diagonal
☎ 93 215 09 98
Lun.-ven. 8h-21h, sam. 9h-21h, dim. 9h-15h.

Très bon chic bon genre, les jeunes mères avec leur nouveau-né, les dames pomponnées viennent ici céder au péché de gourmandise. Cette pâtisserie-confiserie ne fait pas de faute de goût, le bon ton est de rigueur : présentoirs ouvragés et devanture noir et or.

Laie

C. de Pau Claris, 85 (D2)
M° Catalunya
☎ 93 318 17 39
Lun.-ven. 9h-1h (21h le lun.), sam. 10h-1h.

Pour une pause littéraire et gourmande, cette librairie-salon de thé l'endroit rêvé. Revues du monde entier, livres d'art ou essais philosophiques se mêlent aux pâtisseries maison et effluves de café. Un heureux mariage des nourritures terrestres et spirituelles.

La Nova Estrella

C. Major, 52 (Sitges)
☎ 93 894 70 54
F. mer.

Cette pâtisserie est décorée du sol au plafond de fresques, de bouteilles de liqueur et de boîtes à dragées : une véritable bonbonnière. Dans le *salò de tè*, vous attendent toutes les gâteries traditionnelles et pourquoi pas une petite malvoisie de Sitges, liqueur locale.

ESCRIBÀ

Depuis 1906, Escribà est spécialisé en pâtisserie maison : mille-feuille au chocolat amer, fondant praliné accompagnés d'un petit café d'Éthiopie. L'enseigne est venue se nicher dans ce *chiringuito*, gargote en bord de mer où vous pourrez céder au péché de gourmandise… (voir aussi p. 42).

Litoral Mar, 42 – Platja del Bogatell (HP)
M° Ciutadella – ☎ 93 221 07 29
Mar.-ven. 13h-16h30, sam. 12h-18h, dim. 12h-23h.

Shopping **mode d'emploi**

À Barcelone, on a l'esprit de boutique. La ville est née du commerce et cela fait deux mille ans que l'on y pratique le négoce : les Catalans ont la bosse des affaires. Donc, pas de panique pour les boutiques, il s'en trouve à tous les coins de rue. Les plus chic (joailliers, stylistes et vêtements de luxe) sont sur le passeig de Gràcia, Rambla de Catalunya ou aux abords du parc Turò. Les artisans et petits commerces animent les quartiers anciens (barrio Gótico ou Ribera), le marché de la Boqueria sur la Rambla est ouvert très tôt le matin et, enfin, le port attire, avec son centre Maremagnum, les amateurs de « nouveautés », y compris le dimanche.

Heures d'ouverture

La plupart des boutiques sont ouvertes du lundi au samedi de 10h à 14h et de 16h30 à 20h, une heure plus tôt le matin pour l'alimentation. Notez la fermeture à l'heure des repas pour ne pas avoir de mauvaise surprise ; seuls les grands centres commerciaux, l'Illa sur la Diagonale ou le Corte Inglés sur la place de Catalogne, pratiquent la journée continue. Certains magasins ferment le samedi après-midi mais le dimanche le centre commercial Maremagnum, situé sur le port, reste ouvert de 10h à 22h.

Comment payer ?

La plupart des commerçants acceptent les cartes internationales de paiement (American Express, Eurocard, MasterCard, Visa international) et bien sûr les espèces. Vous n'aurez pas à taper votre code secret, mais devrez simplement signer le coupon de caisse dont on vous remettra une copie. En cas de perte ou de vol, appelez le centre d'opposition à Madrid :

American Express
☎ 902 37 56 37

Eurocard, MasterCard et Visa
☎ 91 519 21 00
🆓 900 97 12 31.

SE REPÉRER

Nous avons indiqué à côté de chacune des adresses des chapitres Séjourner, Shopping et Sortir leur localisation sur le plan situé à la fin de ce guide.

LES SOLDES

La plupart des boutiques font leurs soldes de la deuxième semaine de janvier à la fin février, ainsi qu'en juillet et août. Ce ne sont pas comme à Londres des soldes exceptionnels, mais on trouve couramment des remises allant de 25 % à 50 %, sauf chez Zara (vêtements) où les prix sont vraiment cassés.

Les prix sont affichés partout et l'on ne pratique pas le marchandage. Les Catalans sont de redoutables négociants et si vous voulez débattre les prix sur le marché aux puces, vous rendrez bien vite compte qu'« un sou est un sou ». Alors, bon courage ! Il existe une Carte d'acheteur (voir p. 33) à demander auprès du **Turisme de Barcelona :**
Pl. de Catalunya, 17-S
☎ 93 285 38 34
www.barcelonaturisme.com
Cette carte donne certains avantages (environ 10 % de remise) dans de nombreux commerces et musées ayant le label Barcelona, *ciutat de compres* affiché en vitrine.

Douane

Si vous êtes ressortissant d'un État membre de l'Union européenne, vous n'êtes soumis à aucun droit de douane. Pour passer la frontière, vous devrez seulement présenter la facture HT et TTC remise par le commerçant, la description de l'article, vos nom et adresse. Ce document suffit, quelle que soit la valeur de ce que vous rapportez. Vous n'aurez pas besoin de faire de déclaration particulière.
Si vous n'êtes pas citoyen d'un État membre de l'Union européenne, vous pourrez bénéficier du dégrèvement de la TVA pour les achats supérieurs à 90 €.
Pour cela, demandez le *Cheque Tax Free* au moment de l'achat. En quittant l'Espagne, faites apposer un cachet de douane sur les chèques pour pouvoir les encaisser à votre arrivée chez vous dans une succursale de la Banco exterior de España. Si vous avez acheté une œuvre d'art ou une antiquité déclarée de *valor patrimonial*, vous devez demander un permis de sortie du territoire à l'administration du Patrimoine.
Votre marchand vous aidera dans vos démarches. Vous pouvez exiger un certificat d'authenticité. La facture est toujours indispensable : elle pourra vous être demandée à la douane et vous sera utile si vous souhaitez un jour revendre votre achat ou si vous êtes cambriolé pour compléter la déclaration auprès de votre assureur. Ouvrez l'œil : si vous rapportez un article de contrefaçon ou un objet volé, vous risquez d'être poursuivi pour recel. N'achetez que chez des marchands ayant pignon sur rue et ne vous fiez pas à ce qui pourrait vous sembler

une bonne affaire. Pour vos derniers achats, ne comptez pas sur le *duty free* de l'aéroport de Barcelone : le choix et les prix n'ont rien de sensationnel.
Douane :
Pg Josep Carner 27
☎ 902 40 11 12.

TRANSPORT FACILITÉ

Si vous achetez un meuble ou un objet volumineux, n'hésitez pas à vous faire livrer en France. Une simple copie de votre facture permettra au transporteur de faire le bon de livraison. Vous n'aurez plus à vous occuper de rien.

UPS
☎ 0800 877 877.
Ce transporteur livre dans le monde entier, même en urgence.

RUNNER
☎ 93 309 79 50.
Il prend en charge des paquets de toutes dimensions et fournit une estimation gratuite de vos expéditions depuis l'Espagne.

GEFCO
☎ 93 729 79 70.
Cette grande entreprise de transport assurera votre livraison de façon professionnelle, urgente si c'est nécessaire.

Mode femme

Vous vous rêvez *Comtesse aux pieds nus* ou *Talons aiguilles*, aimeriez changer cette *Drôle de Frimousse*, mais hésitez entre *La Maman et la Putain*. De toute façon, vous savez pertinemment que *Les hommes préfèrent les blondes* et fantasment toujours sur *La femme d'à côté*, alors offrez-vous un *Jour de fête* dans le scénario d'*Une étoile est née* et oubliez les *Femmes au bord de la crise de nerfs*.

Ce créateur galicien habille les femmes et les hommes depuis les années 1980. Sa signature : un style simple et élégant, moderne et fonctionnel, avec une touche d'intemporalité intelligente. Sa matière préférée : le lin. L'univers de

Jofré

C. Francesc Perez Cabrero, 7 (HP hors C1)
M° Hospital Clinic
☎ 93 390 77 90
Lun.-sam. 10h-20h30.

Le vestiaire des Barcelonais fortunés et branchés : les plus grandes marques, les plus beaux modèles, la toute dernière mode d'Espagne et d'ailleurs (surtout d'ailleurs). Prada, Paul Smith, Chloé… Jofré propose aussi sa propre marque : Dinou. Rendez-vous aux n°s 9 et 13 de la même rue pour les hommes et les jeunes. À chacun sa boutique de caractère dans le quartier chic de Turo Parc.

Roberto Verino

Pg de Gràcia, 68 (D2)
M° Passeig de Gràcia
☎ 93 467 20 15
Lun.-sam. 10h-20h30.

Roberto Verino comprend aussi parfums et accessoires (lunettes, maroquinerie), et même un excellent vin de Monterrei : Terra do Gargalo.

Loewe

Pg de Gràcia, 35 (D2)
M° Passeig de Gràcia

☎ 93 216 04 00
Lun.-sam. 10h-20h30.

Le sellier Loewe emprunte
l'élégante façade de la Casa
Llèo Morera pour sertir ses
articles luxueux. Comme
ses cousins germains Gucci
ou Hermès, il satisfait les
goûts les plus exigeants.
Le savoir-faire maison fait
naître la perfection des objets
de peausserie et l'harmonie
de ses carrés de soie : 150 ans
de tradition et de luxe.

Groc

C. Muntaner, 385
(HP par C1)
M° Muntaner
☎ 93 202 30 77
Lun.-sam. 10h-14h
et 16h30-20h30.

Un des premiers lieux où l'on
ait vendu des vêtements de
stylistes tel Antonio Miró,
pour homme et femme. À cette
ligne, Groc ajoute sa propre
griffe et offre un choix élégant
et sobre d'articles en fil, lin,
faille et soie, aux formes
souples et simples.

Antonio Pernas (et Agatha Ruiz de la Prada)

C. del Consell de Cent, 314-
316 (D2)
M° Passeig de Gràcia
☎ 93 487 16 67
Lun.-sam. 10h30-20h30.
Une valeur sûre pour
des vêtements espagnols
classiques et élégants.
Amoureux du minimalisme
et de la pureté, Antonio
Pernas et sa femme Maria
Freire conçoivent tous
deux quatre collections
par an. Retrouvez-les
dans un magasin sobre
et épuré à leur image,
qu'ils partagent depuis peu
avec les collections folles
d'Agatha Ruiz de la Prada.
Quel contraste !

Sita Murt

C. de Avinyó, 18 (F6)
M° Liceu
☎ 93 301 00 06
Lun.-ven. 10h30-14h
et 16h30-20h30, sam.
10h30-20h30.

Une jolie boutique vert d'eau
où les portants ondulent
comme des vagues pour cette
créatrice catalane issue d'une
grande famille du textile. Son
style *trendy* marie simplicité

et élégance, en privilégiant
la maille. Sita Murt présente
également une sélection
de modèles issus d'autres
marques dans le vent comme
Paul & Joe, Antik Batik…

Jean Pierre Bua

Av. de Diagonal, 469 (C1)
M° Diagonal
☎ 93 439 71 00
Lun.-sam. 10h-14h
et 16h30-20h30.
Superpositions sexy,
recyclages sophistiqués,
transparences scandaleuses,
silhouette chic ou
« à la Nehru », argentés
ou *fifties*… Sybilla, J.-P.
Gaultier, Marcel Marongiu,
Jean Colonna, Yamamoto,
V. Westwood, les créateurs
sont au rendez-vous pour
vous sortir des sentiers battus
et vous relooker glamour.

L'aspect intimiste et la déco rétro du lieu contrastent avec les vêtements modernes que propose cette jolie boutique. Un accueil sympathique vous aidera à faire votre choix entre les designers espagnols (Antonio Miró, Josep Abril, Ailanto) ou étrangers (Kenzo, Tara Jarmon et Locking Shockings entre autres).

Notémon

C. de Pau Claris, 159 (D2)
M° Passeig de Gràcia
☎ et 🖷 93 487 60 84
Lun. 16h30-20h30, mar.-ven. 10h30-20h30, sam. 11h-15h et 16h30-20h30.

Cet espace blanc et lumineux, résolument original, propose une sélection de vêtements très modernes pour hommes et femmes. Le lien entre les pièces sélectionnées repose sur les différences qui les opposent. Silhouettes classiques, vintage ou très chic : à vous de choisir.

Hipòtesi

Rambla de Catalunya, 105 (D1)
M° Diagonal
☎ 93 215 02 98
Lun. 10h-13h30 et 17h-20h30, mar.-ven. 10h-20h30, sam. 10h-14h et 17h-20h30.

Sa vitrine design est en elle-même un petit bijou. Depuis des années, cette boutique a su s'imposer comme un lieu à part. Elle présente les pièces les plus innovantes en matière de création (bijoux, céramique, verre et textile). À voir…

Mit-Mat Mama

Rambla de Catalunya, 88 (D2)
M° Passeig de Gràcia
☎ 932 154 857
Lun.-sam. 10h-20h30.
Pour les futures mamans qui ont envie de rester chic et mode pendant leur grossesse.

« Soigne-toi maman » dit la marque en onomatopées catalanes, en proposant des tenues et des matières très actuelles et adaptées aux gros ventres. Élastiques discrets, cache-cœurs, tissus stretch les mettent en valeur. L'époque des femmes enceintes pas sexy est bel et bien révolue.

Roser et Francesc

C. de València, 285 (D2)
M° Passeig de Gràcia
☎ 93 459 14 53
Lun.-sam. 10h-14h et 16h30-20h30.

System Action

Av. del Portal de l'Àngel, 1 (F5)
M° Catalunya
☎ 93 302 20 90
Lun.-sam. 10h-20h30.
Dans l'esprit des incontournables grandes surfaces espagnoles de la mode comme Zara ou Mango, System Action est une chaîne de vêtements catalane qui ne s'exporte pas encore en dehors de Barcelone (à part à Saragosse). Une petite enseigne féminine locale et peu chère, tendance mode décontractée, où vous pourrez dégoter des modèles relativement inédits…

Cortana

C. dels Flassaders, 41 (G6)
M° Jaume I
☎ 93 310 12 55
Lun.-sam. 10h14h et 17h-20h30.
Drapés de soie jusqu'aux chevilles, maille fluide, mousseline et transparences caractérisent cette ligne de

vêtements très féminins créée par une styliste des Baléares installée depuis peu sur le continent. Les couleurs sont douces comme les matières, et dans la boutique immaculée flotte un doux parfum d'ambiance.

Mango Outlet

**Av. de Pau Casals, 12
(HP par C1)
M° Hospital Clinic
☎ 93 209 07 73
Lun.-sam. 10h15-20h15.**
C'est au beau milieu de ce quartier chic que la marque Mango a choisi de s'installer pour déstocker ses invendus des saisons précédentes. Si la boutique détonne un peu de toutes les boutiques de luxe qui se partagent le territoire de Turo Park, ce n'est pas une raison pour la snober : les prix démarrent à 3 € ! On vous laisse fouiller…

Lydia Delgado

**C. de Minerva, 21-28 (D1)
M° Diagonal
☎ 93 415 99 98
Lun.-sam. 10h-14h
et 16h30-20h30.**
Cette jeune styliste espagnole présente, dans un décor années 1950, ses vêtements à la fois sexy et chic :

tailleurs à partir de 320 €, robes cubistes *sixties* et pantalons taille basse. Une ligne dynamique, comme sa créatrice.

Gonzalo Comella

**Pg de Gràcia, 6 (F5)
M° Catalunya
☎ 93 412 66 00
Lun.-sam. 10h-21h.**

Cet élégant magasin familial habille les Barcelonais depuis 1870, soit quatre générations… et la cinquième attend la relève. Situé pendant des années sur la Rambla, il a déménagé en l'an 2000 vers le très chic passeig de Gràcia où les dernières marques internationales à la mode pour femme, homme et enfant se partagent 3 étages et plus de 1 000 m². Vanessa Bruno, Hogan, Joseph, Custo Barcelona… pour n'en citer que quelques-unes. Pour la jeunesse dorée, demandez les adresses de leurs filiales E4G.

JOSEP FONT

Nichée à l'entresol d'un immeuble baroque de l'Eixample, à deux pas du paseo de Gràcia, la boutique de Josep Font est à l'image de ses collections romantiques. Un grand lustre de cristal éclaire une juxtaposition de sols modernistes dépareillés. Le long des murs se dressent des portants de vêtements aux tissus légers et délicats sur lesquels courent broderies, fleurs et volants, à essayer dans des cabines de velours…
**C de Provença, 304 (D1) – M° Diagonal
☎ 93 487 21 10 – Lun.-sam. 10h-20h30.**

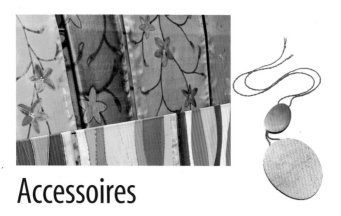

Accessoires

Ultra féminines et très tendance, les Espagnoles raffolent des accessoires de mode. Et de ce côté les Barcelonaises sont particulièrement gâtées. La ville regorge en effet de jeunes créateurs dans le vent qui chaussent, parent, habillent et « bijoutent » ces femmes de pièces irrésistibles. Les créateurs espagnols renommés sont évidemment tous très bien représentés.

Cristina Castañer

C. del Mestre Nicolau, 23 (HP par C1)
M° Hospital Clinic
☎ 93 414 24 28
Lun.-sam. 10h30-20h.
Cristina est héritière de la maison Castañer, célèbre depuis toujours pour la qualité de ses espadrilles. La jeune femme innove en lançant deux collections par an : pour l'été, espadrilles en coton et jute, de couleurs et de formes insolites ; pour l'hiver, des chaussures en cuir au look années 1950 revisité.

Muxart

C. del Roselló 230 (C1)
M° Diagonal
☎ 93 488 10 64
Lun.-ven. 10h-14h et 16h30-20h30, sam. 10h-17h.
Muxart est un designer catalan hors pair qui excelle dans l'art du brodequin, des bottes et des bottines. Fabriquées

à Minorque, ces chaussures se distinguent par le détail des finitions et le raffinement des matières. Si vous recherchez l'originalité, rendez-vous ici. Comptez de 140 à 330 €.

Atalanta

Ptge del Born, 10 (G6)
M° Jaume I ou Barceloneta
☎ 93 268 37 02
Lun.-ven. 10h30-14h et 16h30-20h, sam. 11h-14h et 17h-19h.

Judith Gaccimo et Claudio Mendee sont les créateurs de ces foulards conceptuels on ne peut plus New Age. Délirants, démesurés, peints à la main, vous craquerez certainement pour l'un d'eux, même s'ils ne sont pas donnés. En tout cas la visite vaut le détour.

Forum

C. de Ferlandina, 31 (C2)
M° Sant Antoni

☎ 93 441 80 18
Mar.-ven. 11h-14h et 17h-20h30, sam. 11h-14h.

À deux pas du musée d'Art contemporain, une jeune allemande présente dans son atelier-galerie-boutique soixante artistes créateurs de bijoux. Les pièces sont à tirage limité et les prix oscillent entre 30 € et 5 500 €. Une adresse incontournable pour les amateurs de bijoux uniques et contemporains. N'hésitez pas à jeter un coup d'œil sur l'atelier pour découvrir les arcanes de cet art.

Joieria Sunyer

Gran via de les Corts
Catalanes, 660 (D2)
M° Urquinaona
☎ 93 317 22 93
Lun. 16h30-20h, mar.-ven.
10h-13h30 et 16h30-20h.

Depuis 1835, cinq générations de joailliers se sont succédé dans ce cadre Art déco, situé en face de l'hôtel Ritz. Ce superbe écrin présente bracelets en argent doré (420 €), bijoux aux dessins exclusifs dessinés de père en fils, objets 1930 (env. 400 €)… Un orfèvre à la carte avec service à l'ancienne.

Casa Oliveras

C. de la Dagueria, 11 (F6)
M° Jaume I

☎ 93 315 19 05
Lun.-jeu. 9h-13h et 16h-19h.
Surannée la broderie catalane ? Derrière la cathédrale, dans une échoppe aux abat-jour de porcelaine, Rosa brode au fuseau mouchoirs et galons qui donneront une petite touche ancienne à une robe ordinaire.

Vialis

C. de la Vidrieria, 15 (G6)
M° Barceloneta
☎ 93 264 00 58
C. d'Elisabets, 20 (F5)
M° Catalunya

☎ 93 342 60 71
Lun.-sam. 11h-21h.

Pas une Barcelonaise qui n'arbore ses chaussures Vialis. Cette marque catalane très pop et féminine joue avec les matières et les couleurs acidulées. Vous les essayez sous les fenêtres mêmes des créateurs, qui travaillent dans l'immeuble en face de la boutique du Born. Peut-être connaissez-vous leurs baskets aérées (pour l'été), modèle mixte suivi d'année en année.

LA MANUAL ALPARGATERA

Derrière une façade en chaux blanche, c'est le paradis de l'espadrille sous toutes les coutures : montantes, à lacets ou brodées, colorées et rayées. L'atelier de confection se trouve sur place et l'on peut passer commande d'une paire sur mesure à la matrone, fournisseur de Jack Nicholson entre autres. Regardez aussi les mini-espadrilles pour nouveau-né (de 6,5 € à 12 €)…

C. d'Avinyó, 7 (F6) – M° Liceu
☎ 93 301 01 72 – Lun.-sam. 9h30-13h30 et 16h30-20h.

Mode masculine

En classique chic ou en canaille, en Brando ou en Bogart, en matinée comme en soirée, en séducteur ou en flambeur, en faux décontracté ou en passionné, en poète comme en athlète, les affaires d'homme se jouent sur tous les tons. Une palette de boutiques pour esthètes et amants des plaisirs.

Adolfo Dominguez

Pg de Gràcia, 32 (D2)
M° Passeig de Gràcia
☎ 93 215 13 39
Lun.-sam. 10h-14h
et 16h30-20h30
Adolfo Dominguez « U »
C. de Ferrán, 4 (F6)
M° Liceu ou Jaume I
☎ 93 412 75 45
Lun.-sam. 10h30-20h30.

Vous avez un rendez-vous d'affaires ou un dîner romantique avec la femme de votre vie ? Les collections de ce créateur de renommée internationale sont absolument incontournables. Matières nobles et couleurs naturelles donnent une élégance sobre aux vêtements épurés de Dominguez. Pour un look plus décontracté, la ligne U (comme universitaire) cultive le jean et le style vintage.

Miró Jeans

C. del Pi, 11 (F5)
M° Liceu
☎ 93 342 58 75
Lun.-sam. 10h-20h30.

Le créateur catalan Antonio Miró (voir p. 64) a également conçu une ligne sport et décontractée qui comme son nom l'indique, s'appuie sur le jean, intemporel et indémodable. Antonio joue avec le néovintage en remettant au goût du jour des modèles rétro, pour un look jeune, moderne et urbain… plus abordable que du Miró classique.

David Valls

C. de València, 235 (C2)
M° Passeig de Gràcia
☎ 93 487 12 85
Lun.-sam. 10h-14h
et 16h30-20h30.
David Valls expérimente et innove. Comme la plupart des créateurs barcelonais, il combine de manière très personnelle différentes matières (laine, soie, et coton en général). Sa véritable originalité réside toutefois dans des textures réalisées à l'aide des technologies les plus avancées. Au final, des coupes simples, élégantes et confortables pour des citadins au look bohème-chic.

Furest

• Av. de Diagonal, 468 (C1)
M° Hospital Clinic
☎ 93 416 06 65
• Pg de Gràcia, 12-14 (D2)
M° Catalunya
☎ 93 301 20 00
Lun.-sam. 10h30-14h
et 16h30-20h15.

Furest est le temple du
bon goût et du classicisme
masculin depuis des
générations. Du tailleur sur
mesure au sportswear, une
sélection de vêtements raffinés
et de qualité.

Gonzalo Comella

• Av. de Diagonal, 478 (C1)
M° Hospital Clinic
☎ 93 416 15 16
Lun.-sam. 10h-20h30
• Pg de Gràcia, 6 (D2)
M° Catalunya
☎ 93 412 66 00
Lun.-sam. 10h-21h.

Une mode qui vous permettra
du politiquement correct en ville
comme à la campagne : parkas
d'A. Miró, pulls Ralph Lauren,
costumes Hugo Boss, chemises
Armani et mocassins Church's.

Often

Av. del Portal de l'Àngel,
15-17 (F5)
M° Catalunya
☎ 93 318 60 04
Lun.-sam. 10h-20h30.

La chaîne de vêtements pour
ados Pull&Bear a créé la
ligne Often pour habiller
les hommes légèrement
plus mûrs : pantalons en
toile, chemises sport, vestes
décontractées, pulls amples,
pour les adeptes d'un look
simple et actuel. La qualité
n'est pas exceptionnelle, mais
les prix sont intéressants.

Desigual

C. de l'Argenteria, 65 (G6)
M° Jaume I
☎ 93 310 30 15
Lun.-sam. 10h-22h.

Les boutiques Desigual cultivent
le style urbain, avec sols en
béton brut, murs recouverts de
tags flashy, musique ultra-forte.

Idem pour les vêtements qui
s'y trouvent : une ligne mixte
de streetwear jeune et dans le
vent. Tops bariolés, pantalons
amples, taille basse, jupes sport,
couleurs vives, à petits prix,
surtout pendant les soldes.

Produit National Brut

C. d'Avinyó, 29 (F6)
M° Liceu
☎ 93 268 27 55
Lun.-sam. 11h-21h.

Une bonne odeur de lessive
émane de cette petite boutique
mixte de la rue d'Avinyó.
Normal pour une friperie, me
direz-vous, mais pas n'importe
laquelle. Vous y trouverez
une sélection harmonieuse
de vêtements vintage,
authentiques ou customisés :
blousons en synthétique, jupes
en tissus dépareillés, chemises
à motifs psychédéliques…
Pour une touche rétro juste
comme il faut.

CUSTO BARCELONA

Carreaux de salle de bains aux murs, rock à plein
tube, et étagères de T-shirts bariolés jusqu'au
plafond, voici la boutique
barcelonaise la plus courue
du moment. La muse de
ces deux créateurs (et frères)
catalans ? La Californie des
années 1980, qui inspire
leurs fameux T-shirts couture
et autant de vêtements aux
motifs délirants, imprimés
tribaux et autres broderies
incongrues.
Plaça de les Olles, 7 (G6)
M° Barceloneta
☎ 93 268 78 93
T. l. j. 10h30-20h30.

Enfants :
mode et jeux

Dans un pays où la natalité est l'une des plus basses d'Europe, il est normal que l'enfant soit roi. De toute façon, les Espagnols ont toujours comblé les petits et vous ne rencontrerez aucune difficulté à vous promener avec votre famille nombreuse ou à trouver dans cette liste comment la gâter à votre retour.

La chaîne catalane de produits zen Natura ne cesse de se diversifier. Après Natura maison et Natura vêtements, voici Natura Banana, pour les enfants. Une boutique hétéroclite comme ses grandes sœurs, avec un choix de vêtements ethniques charmants pour les petits (*kurta* indiennes, pulls népalais, savates thaïlandaises), mais aussi des jouets rétros, des livres sur la nature…

El Rey de la Magía

C. de la Princesa, 11 (G6)
M° Jaume I
☎ 93 319 39 20
Lun.-ven. matin 10h-14h
et 17h-20h, sam. 11h30-14h.

« Quand j'serai grand, je veux être magicien », dit l'enfant. C'est ici que vous trouverez l'équipement *ad hoc*. Farces et attrapes, jeux de prestidigitateur et tours de passe-passe feront l'affaire. Une vitrine couleur sang de bœuf et une enseigne au visage d'un mage enturbanné au regard hypnotisant… vous entrerez subjugué.

Natura Banana

C. del Rosselló, 226 (C1)
M° Diagonal
☎ 93 487 95 88
Lun.-ven. 10h30-20h30, sam. 10h-14h et 16h30-20h30.

Palacio del Juguete

C. dels Arcs, 8 (F5)
M° Catalunya
☎ 93 318 12 83
Lun.-ven. 10h-13h30 et 16h30-20h, sam. 10h30-14h et 17h-20h.

Une boutique vieillotte à souhait qui déborde de jouets, vitrine incluse. Les pièces en enfilade explosent d'étagères remplies de peluches et de poupées, des tables font office de parking pour tout ce qui roule. Même le plafond sert à ranger les cerfs-volants, les mobiles et les ballons. Un vrai bonheur, pour tous les âges.

Imaginarium

• Rambla de Catalunya, 31
M° Catalunya (D2)
☎ 93 487 67 54
• Moll d'Espanya,
Maremagnum – L40 (C4/D4)
M° Drassanes
☎ 93 225 80 50
T. l. j. 10h-22h.

Dans un cadre coloré et lumineux, une bonne adresse pour jeux de plein air : trampolines, toboggans, piscines gonflables. Si vous n'avez pas vraiment la place, rabattez-vous sur les billes, établis en bois, chevaux à bascule, toupies et tambours. Vous trouverez des boutiques dans toute la ville.

Gocco

C. del Rosselló, 222 (C1)
M° Diagonal
☎ 93 272 08 86
Lun.-ven. 10h-20h30, sam. 10h-14h et 16h30-20h30.
Voici une marque espagnole de vêtements pour enfants qui se démarque par son côté moderne et coloré. (Les Espagnols, vous l'aurez remarqué, affectionnent particulièrement le style ultraclassique pour les jeunes enfants). Robes trapèze, jeans modernes, pantalons à poches, polos, pour que vos enfants aient un look dans l'air du temps.

Mullor

Rambla de Catalunya, 102 (D1)
M° Diagonal
☎ 93 488 09 02
Lun.-ven. 10h-20h, sam. 10h-14h et 16h30-20h.

Cette élégante marque barcelonaise habille vos chérubins comme autrefois, soit à la mode enfantine espagnole : culottes courtes, robes à smocks, grenouillères en maille, couleurs pastel, rubans, dentelles, et froufrous pour les bébés. Des modèles ravissants aux coupes parfaites ; des prix en conséquence.

Menkes

Gran via de les Corts Catalanes, 642 (D2)
M° Passeig de Gràcia
☎ 93 318 86 47
Lun.-ven. 9h30-13h30 et 16h30-19h45, sam. 10h30-13h30 et 17h-20h.

Fondé en 1950, Menkes est le spécialiste du déguisement : Aladin, Belle au bois dormant, Colombine, torero ou danseuse de flamenco avec ou sans faux cils (à partir de 66 €), une incroyable caverne d'Ali Baba, où parents et enfants pourront se grimer un jour de fête.

Juguetes Foyé

C. dels Banys Nous, 13 (F5/6)
M° Liceu
☎ 93 302 03 89
Lun.-ven. 10h-14h et 16h30-20h, sam. 10h-14h et 17h-20h.

La plus ancienne boutique de jouets de la ville ; quatre

générations Foyé ont déjà satisfait les enfants barcelonais : jouets de collection en métal, chevaux de bois en papier mâché (75 €), boîtes à musique (85 €), machines à vapeur et déguisements.

EL INGENIO

Une atmosphère carnavalesque et poétique se dégage de cette boutique. Depuis 1838, la famille Cardona fabrique les masques et les *caps grossos*, les têtes de géants qui défilent dans les rues de Barcelone et de Sitges ; dans l'arrière-boutique, un atelier est visible, les têtes en papier mâché brut ont des résonances surréalistes. Dalí était déjà fasciné par cette maison pleine de sortilèges, à visiter de 7 à 77 ans.

Rauric, 6 (F6) – M° Liceu – ☎ 93 317 71 38
Lun.-ven. 10h-13h30 et 16h15-20h, sam. 10h-14h et 17h-20h30.

Grands magasins
et galeries commerciales

Pour tâter le pouls de la ville vers 18h, dirigez vos pas vers l'une de ces adresses, et vous aurez une idée des pratiques locales. Ces grands magasins ont l'avantage de réunir les « articles à tous les étages », et c'est vraiment le « bonheur des dames » ! Les plus récents, Maremagnum et Illà, sont des vitrines d'avant-garde et les Barcelonais en sont très fiers, alors ne manquez pas ces rendez-vous.

El Corte Inglés
Pl. de Catalunya, 14 (F5)
M° Catalunya
☎ 93 306 38 00
Lun.-sam. 10h-22h.
Sur la place de Catalogne, le Corte Inglés le plus rétro

d'Espagne ressemble à un paquebot aux lignes Art déco. On s'y retrouve à toute heure pour trotter d'un étage à l'autre. Toutefois, il faut bien avouer que les prix sont assez élevés. Le rayon femme habille les vieilles dames de Faizant plutôt que la pin-up de Quiraz et si vous ne trouvez rien, jetez un coup d'œil sur la ville depuis le restaurant panoramique.

Bulevard Rosa
• Pg de Gràcia, 53-55 (D1)
M° Passeig de Gràcia
• Av. Diagonal, 474 (C1)
M° Diagonal
☎ 93 215 83 31
Lun.-sam. 10h30-21h.

Dans l'esprit « l'union fait la force », les premières galeries commerciales ont fleuri à Barcelone comme à Londres, dans les

années 1970. Plus de cent boutiques s'alignent dans ces endroits stratégiques : mode, bijoux, chaussures, jouets, parfumeries, vêtements d'enfants, et bars en font le rendez-vous des teen-agers et des yuppies, le vendredi soir. La sélection est plutôt branchée et si vous tenez à un look décoiffant, allez donc chez Marcel (coupe à 30 €), « le » coiffeur de Barcelone, à ne pas manquer.

L'Illà

**Av. de Diagonal, 557
(HP par C1)
M° Hospital Clinic
☎ 93 444 00 00
Lun.-sam. 10h-21h30.**

Dans le quartier des affaires, sur l'avinguda Diagonal, ce nouveau centre commercial satisfait, sur trois étages, les envies d'achat des employés de bureau, nombreux dans ce quartier. On retrouve beaucoup d'enseignes identiques à celles de Maremagnum (voir ci-dessous) auxquelles il faut ajouter Marks & Spencer, Décathlon, Fnac et le supermarché Caprabo, pour l'alimentaire. Pas très exotique pour un visiteur étranger mais pratique pour les autochtones, avec sa situation stratégique et son parking souterrain.

El triangle

**C. de Catalunya, 1 (F5)
M° Catalunya
☎ 93 318 01 08
Lun.-sam. 10h-22h.**

En plein cœur de la ville, idéalement situé, ce grand mégastore offre la liberté de choisir un disque, un livre, des vêtements… jusqu'à vraiment tard dans la soirée. De nombreuses marques internationales y sont représentées : Sephora, Habitat, Fnac, Camper, Dockers, mais aussi Agatha, etc.

Maremagnum

**Moll d'Espanya (C4/D4)
M° Drassanes
☎ 93 225 81 00
T. l. j. 10h-22h.**

C'est le dernier-né de la nouvelle façade maritime et l'orgueil

des Barcelonais. Cet immense centre commercial est un lieu de balade pour de nombreux Espagnols le dimanche. Un ensemble de restaurants, bars, confiseries, commerces

high-tech, écologiques, ringards ou mode attirent les badauds. Un petit tour par l'Aquarium (voir p. 51), tout proche, complétera la promenade.

LA ROCA VILLAGE

À une demi-heure au nord de Barcelone, un petit village catalan tout neuf sert d'écrin à une immense zone de shopping déstocké. Les plus grandes marques d'Espagne et d'ailleurs y écoulent leurs anciennes collections à des prix défiant toute concurrence. On y court pour les surplus de Camper, Muxart, Antonio Miró, Desigual, Loewe, Gocco, Nanos… entre autres et dans le désordre. Pour savoir comment vous y rendre, consultez le site Internet.
**☎ 93 842 39 00
www.larocavillage.com
Lun.-ven. 10h-21h, sam. 10h-22h.**

Sports
et gadgets

Les Barcelonais pratiquent avec autant d'engouement les activités aquatiques et montagnardes. Ils sont fanatiques de foot, les couleurs du Barça pavoisent d'un balcon à l'autre, et les randonnées dans les Pyrénées font de nombreux adeptes. Il ne sera pas difficile de satisfaire vos envies d'articles de sport et gadgets en tout genre, Barcelone n'a pas attendu les jeux Olympiques pour offrir un choix très étendu.

Dom

• C. de Provença, 249 (D1)
M° Diagonal
☎ 93 487 11 81
• C. d'Avinyó, 7 (F6)
M° Liceu
☎ 93 342 55 91

Lun.-sam. 10h30-20h30.
www.id-dom.com

L'humour sous toutes ses formes, des sacs en peau de panthère ou en Nylon aux couleurs de berlingots, des stylos en forme de fleurs en plastique.

Natura

• Maremagnum,
Moll d'Espanya (C4/D4)
M° Drassanes
☎ 93 225 80 49
T. l. j. 10h-22h
• C. del Consell de Cent, 304

M° Passeig de Gràcia (C2)
☎ 93 488 19 72
Lun.-sam. 10h-20h30.

Pour amateurs de design écologique : lampes en bois tourné et en joncs, mobiles mexicains (3 €),

photophores, cages à oiseaux, bonnets afghans et T-shirts pour la défense des baleines. La petite touche Greenpeace, emballée dans un papier recyclé.

Items d'Ho
• C. de Mallorca, 251 (D1)
Mº Passeig de Gràcia
☎ 93 488 32 37
Lun.-sam. 10h-20h30
• Passeig de Gràcia, 55 (D1/2)
Mº Passeig de Gràcia
☎ 93 216 09 41
Lun.-sam. 10h30-21h.

Cette enseigne est spécialisée
dans le cadeau pour homme :
du porte-clefs au bagage léger,
de l'étui à lunettes branché
à la montre chromée, tout
a été pensé et peaufiné pour
le bonheur de ces messieurs.
La deuxième boutique ne fait
que du Alessi.

D Barcelona
• Av. de Diagonal, 367 (D1)
Mº Diagonal
☎ 93 216 03 46
T. l. j. 11h-14h30 et 17h-21h
• Moll d'Espanya,
Maremagnum, L39 (C4/D4)
Mº Drassanes
☎ 93 225 80 86
T. l. j. 10h30-22h30.
La boutique de l'insolite et
le paradis du gadget kitsch,
pratique, drôle ou inutile :
cadre photo en moumoute,
rideau de douche fluo, sofa en
Skaï garanti… *Just for fun !*

La Botiga del Barça
Moll d'Espanya
Maremagnum, L27 (C/D4)
Mº Drassanes
☎ 93 225 80 45
T. l. j. 10h-22h.
Pour les inconditionnels
de l'équipe locale de foot,
vous trouverez maillots,
shorts, drapeaux, casquettes,

cendriers, porte-clefs aux
couleurs du Barça (rouge et
bleu). Ne manquez pas la
visite du stade et du musée du
Camp Nou (voir p. 17), si vous
êtes un fanatique de ce sport.

Jonas
Av. d'Icària, 153 (E3)
Mº Ciutadella - Vila Olímpica
☎ 93 225 15 68
Lun.-sam. 10h-21h,
dim. 16h-20h.

à l'entrée, une moto Harley
Davidson chromée et rouge
donne le ton : ici, on s'adresse
aux passionnés. Spécialiste
des sports extrêmes, on peut
s'équiper pour le *snowboard*
ou le *surfing*, en polaire ou
en Nylon léger. Selon votre
humeur, vous choisirez côté
vague ou côté avalanche.

Quera
C. de Petritxol, 2 (F5)
Mº Liceu
☎ 93 318 07 43
Lun.-ven. 9h30-13h30
et 16h30-20h, sam. 10h-
13h30 et 17h-20h.

Pour préparer vos trekkings,
une librairie où vous pourrez
feuilleter des ouvrages inédits,
découvrir des routes inconnues
et des cartes détaillées.
Escalade, spéléologie, gîtes
ruraux et excursions en
famille, botanique ou grande
aventure n'auront plus de
secrets pour vous.

CORONEL TAPIOCA
Les aventuriers de l'Arche perdue ont dû s'équiper
ici. Si vous fantasmez sur un safari, une expédition
Camel, un rallye en Jeep, ou le look « Impressions
d'Afrique », faites un tour chez le Colonel, il réglera
votre affaire. De l'Opinel au kit de survie en passant
par le réchaud solaire, rien ne manquera à votre
prochain départ. *Bon viatge !*

Av. Portal de l'Àngel, 4 (F5) – Mº Catalunya
☎ 93 318 20 35 – Lun.-ven. 10h-20h, sam. 10h-21h.

Décoration,
arts de la table et design

La réputation de la Barcelone branchée n'est plus à faire. Profitez de votre week-end pour donner une touche design à votre intérieur. Si vos goûts sont très éclectiques, vous ne serez pas déçu : colonial, country, high-tech, kitsch, sage, insolite ou surréaliste, autant de styles que d'enseignes.

Arkitektura

Via Augusta, 185
(HP par D1)
M° Muntaner
☎ 93 362 47 20
🖷 93 241 17 85
Lun.-ven. 9h30-14h et 16h-19h30, sam. 9h30-14h.

Voici un nouvel espace dédié au design contemporain pour l'habitat et le bureau. Dans ce showroom de 1 000 m² d'exposition, vous trouverez une sélection soignée des meilleurs designers actuels. Le souci principal est de présenter un design d'avant-garde désireux d'allier esthétique et utilité. Arkitektura propose du mobilier Azucena, Alias, Armani, Depadova, Tecno…

Coses de casa

Pl. Sant Josep Oriol, 5 (C3)
M° Liceu
☎ 93 302 73 28
Lun.-ven. 9h45-14h et 16h30-20h, sam. 10h-14h et 17h-20h30.

Si vous avez la fibre catalane, c'est l'adresse qu'il vous faut.

Dans un décor suranné, un choix unique de tissus catalans : les *llengos de Mallorca*, dessins spécifiques à l'île, jouent les contrastes. Le soleil s'en est mêlé, tissant de ses rayons quelques métrages prometteurs aux couleurs jaune d'or, rouge corail…

Punto Luz

C. de Pau Claris, 146 (D2)
M° Passeig de Gràcia
☎ 93 216 03 93
Lun.-ven. 9h30-13h30 et 16h-20h., sam. 10h-13h30 et 17h-20h.

N'allez plus à l'aveuglette : vous trouverez ici une sélection sophistiquée de luminaires qui séduira les plus exigeants. Adieu l'abat-jour parcheminé et les couleurs sombres. Pour le jardin, la tendance est aux lignes épurées et pour l'intérieur, les œufs et les boules opaques font un retour en force. À suivre.

Sit Down

C. de Mallorca, 331 (D1)
M° Verdaguer
☎ 93 207 75 32
Lun.-sam. 10h-13h30
et 16h30-20h.

Embarras du choix entre des rééditions d'exquises chaises

de Joseph Hoffmann, de Starck, de Jose Luis Luscà et d'Òscar Tusquets en paille naturelle. Tous jouent la couleur et le tissu à prix raisonnable (à 110 € et moins). Le siège dans tous ses états !

Zara Home

Rambla de Catalunya, 71 (D1)
M° Passeig de Gràcia
☎ 93 487 49 72
Lun.-sam. 10h-20h30.

Après les femmes, les hommes et les enfants, la marque de vêtements Zara habille maintenant également les intérieurs. Barcelone compte déjà une poignée de ces boutiques « Home » dans lesquelles le choix est aussi vaste que pour l'habillement. Que vous préfériez le style classique, contemporain, ethnique, blanc… tout est soigneusement classé par thème pour satisfaire tout le monde.

India & Pacific

Pg de Mercader, 16 (C1)
M° Diagonal
☎ 93 487 37 03
Lun.-sam. 10h30-14h et
17h-20h30.

Dans cet immense magasin aménagé comme un intérieur véritable, vous vous promenez dans des salons feutrés, vous jetez un œil aux chambres cosy, vous contournez la table dressée d'une salle à manger impeccable. Meubles, linge, objets, reproductions ou antiquités, tout a été harmonieusement choisi en Indonésie. Adepte du style colonial, vous trouverez sûrement votre bonheur.

Hammam

C. dels Flassaders, 42 (G6)
M° Jaume I
☎ 93 268 32 39
Hiver : lun.-ven. 11h-14h et
16h30-20h (21h le sam.)
Été : lun.-ven. 17h-21h,
sam. 11h-21h.

Contrepoint à l'univers très design du quartier del Born, la petite entrée de Hammam vous

LA FIBRE CATALANE

La Catalogne a une tradition textile ancestrale ; les îles Baléares, en particulier Majorque, conservent les métiers à tisser d'autrefois. À Santa Maria del Cami, un fabricant produit encore les fameux *llengos de Mallorca*. La technique est celle de l'ikat et les toiles, mi-coton, mi-lin, sont en 70 cm de large ; le dessin le plus caractéristique est le *raxa*. Cette toile fruste et raide mêle les couleurs bleu indigo, rouge corail, vert amande, jaune d'or et joue les contrastes (20 à 25 € le mètre).

mène tout droit, à la manière arabe, dans une véritable caverne d'Ali Baba : imports d'Inde, portes ou dinanderies marocaines, petits plats d'Afrique noire, coussins dorés, encens et photophores… un vrai voyage en Orient en plein cœur de Barcelone.

Again

C. del Notariat, 9 (F5)
M° Catalunya
☎ 93 301 54 52
Lun.-ven. 11h-14h et 16h30-20h30, sam. 12h-20h30.

Ça s'en va et ça revient, et aucune ville d'Europe n'y a échappé. Le come-back des années 1970 se niche là, dans cette minirue arborée du médiéval barrio Gótico. Du sofa en Skaï mou noir, des luminaires en Inox tout en rondeurs aux rangements muraux de salles de bains rouges et autres cendriers dentelés jaunes, cette ode au plastique et au toc célèbre haut la main le *flower power*.

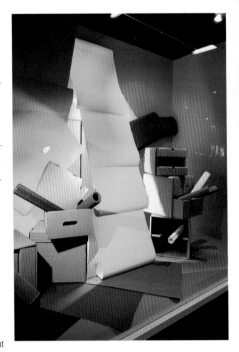

Taller de Lenceria

C. del Rosselló, 271 (C1)
M° Diagonal
☎ 93 415 39 52
Lun.-ven. 10h-14h et 16h30-20h, sam. 10h-14h et 17h-20h.

Du linge raffiné sur mesure en lin, coton, dentelle pour parer tables et lits. Un large choix de chemises de nuit et pyjamas en piqué de coton que l'on peut chiffrer à ses initiales. Une adresse indémodable pour jeune fille rangée !

Servicio Estaciòn

C. d'Aragó, 270-272 (C2/D2)
M° Passeig de Gràcia
☎ 93 216 02 12
Lun.-sam. 9h-21h.

Une droguerie gigantesque où vous dénicherez des toiles cirées façon reptile ou des carreaux de cuisine, version

« les Deschiens », plastique et Formica. Pour les plats à paella (voir p. 9), rendez-vous chez Juan Soriano Faura (voir ci-dessous).

Juan Soriano Faura

C. Gran de Gràcia, 53 (D1)
M° Diagonal
☎ 93 217 23 75
Lun.-ven. 10h-14h et 16h30-20h30, sam. 10h-14h et 17h-20h30.

Au-delà du paseo de Gràcia, mettez le cap sur une quincaillerie de choc. Cette boutique, datant des années 1890, ressemble à une caverne d'Ali Baba. En entrant, un bric-à-brac étonnant surprend le visiteur. Un mode d'emploi détaillé est étiqueté sur chaque article et vous trouverez certainement votre bonheur dans ce fouilli

indescriptible : plat à paella, cassolette pour crème catalane, *porrones* pour boire à la régalade… À visiter comme un cabinet de curiosités.

Pilma

Av. de Diagonal, 403 (D1)
M° Diagonal
☎ 93 416 13 99
Lun.-sam. 10h-14h
et 16h30-20h30.

Art de vivre contemporain dans un cadre transparent de verre et d'acier. Au rez-de-chaussée, accessoires de cuisine et de salle de bains et à l'étage, une passerelle mène à la loggia, meublée de volumes clairs et colorés. Du plaid à carreaux en pure laine à la corbeille futuriste en passant par la lanterne en papier de

Noguchi, décidément, Pilma a du répondant.

Coral Bells Oficis

C. de la Palla, 15 (F5)
M° Liceu
☎ 93 412 16 68
Lun.-ven. 10h30-13h30 et 16h-20h, sam. 10h30-13h30 et 17h-20h.

Coupes en cristal taillé, vases en verre de Murano, coupelles en porcelaine dentelée rehaussées de feuilles d'or, bols en bois et laque, sulfures délicats, faux livres en coton… un rêve. Carme Coral choisit divinement ses artistes (internationaux mais aussi catalans) dont les créations sont divinement présentées. Dans cette ruelle au cœur du vieux Barcelone, cette boutique pleine de grâce mélange artisanat, art et design de pointe.

Azul Tierra

C. de Còrsega, 302 (D1)
M° Diagonal
☎ 93 217 83 56
T. l. j. 10h-20h30.

Tout en haut du paseo de Gràcia, la rue perpendiculaire Còrsega abrite un magasin d'ameublement et de décoration spacieux et chaleureux. Meubles et objets y sont mis en situation, comme dans une harmonieuse maison de famille. Canapés profonds, lampes généreuses, tapis chauds, bougeoirs et bibelots

en tout genre donneraient envie de s'y installer, ou de tout acheter.

SANS OUBLIER…

Pour compléter votre visite, n'oubliez surtout pas les incontournables du design d'hier et d'aujourd'hui : la boutique Bd Ediciones de Diseño (voir p. 23) et les deux sœurs *Vinçon* et *Tinçon* (voir p. 63 et www.vincon.com). Vous trouverez là tout ce dont vous rêviez pour un aménagement et une déco à la pointe de l'originalité et de la modernité.

Antiquaires,
marchés aux puces et brocantes

Du bric-à-brac d'un antiquaire à l'étal en plein vent d'une brocante de la place del Pi, vous découvrirez le plaisir de chiner au soleil. Ne vous attendez pas à l'affaire du siècle ; Barcelone est plus proche de l'Allemagne que du Maroc. Mais ne vous privez pas d'une trouvaille rapportée de votre escapade, elle nourrira, au retour, votre rêverie méditerranéenne.

Els Encants

Pl. de las Glòries Catalanes (E2)
M° Glòries
☎ 93 246 30 30
Lun., mer., ven. et sam. 9h-17h30.

Son nom « à l'encan » rappelle qu'autrefois on hélait le chaland en « chantant » les prix. Le marché aux puces n'a d'enchanteur que le nom, car c'est plutôt une foire à la ferraille qui regorge de roues de bicyclette oxydées, de sofas en Skaï dépareillés et de boutons de culotte… le règne du bricoleur du dimanche. Pour les trouvailles Art nouveau, il faut passer vraiment très tôt !

El bulevard dels Antiquaris

Pg de Gràcia, 55 (D1)
M° Passeig de Gràcia
☎ 93 215 44 99
Lun.-sam. 11h-14h et 17h-20h30 (f. sam. en juil.-août).

Dans une galerie commerciale, à l'image du Louvre des antiquaires, des boutiques sophistiquées sont réunies dans le quartier du paseo. L'occasion de jeter un coup d'œil rapide à une sélection variée et de qualité.

Mercat Sant Antoni

C. del Comte d'Urgell, 1 (C2)
M° Sant Antoni
☎ 93 423 42 87
Vêtements : lun., mer., ven. et sam. 10h-20h ;
livres : dim. 8h-14h.

Sous une halle datant de 1872, le marché Saint-Antoine drapé de fer et de verre devient la foire aux dénicheurs. C'est le royaume de la fripe et de la nippe, où dames BCBG côtoient avec aisance une jeunesse agitée et gaie, nostalgique des années 1950 ou de l'esprit bon enfant des « zazous espagnols ». Le dimanche (de 8h à 14h), ce sont les vieilles éditions de Tintin en catalan, les affiches jaunies, les chromos et revues porno qui se partagent les faveurs de collectionneurs assidus. Dans un coin, on échange les dernières figures de jeux de rôle japonais : il y en a vraiment pour tous les goûts.

Mercat Gotic

Av. de la Catedral, 6 (F5)
M° Liceu
☎ 93 302 70 45.

Chaque jeudi (sauf en août) de 9h à 20h, des stands de brocante s'étirent sur le parvis de la cathédrale. En fouillant, on peut dénicher de jolis azulejos, de la céramique ancienne, une poupée aux

yeux de porcelaine ou des dents de cachalot gravées : un bric-à-brac qui a de l'âme.

Oportunidades

C. de Seneca, 8 (D1)
M° Diagonal
☎ 93 218 44 17
Lun.-ven. 10h30-14h et 17h30-20h30.

Parmi les différentes boutiques d'antiquités de la rue Seneca, nous vous recommandons

au n° 8 un petit dépôt-vente rempli de trésors du XXᵉ s. Un va-et-vient de lampes au design *seventies*, tables en Formica, fauteuils années 1930, vieilles banquettes de cinéma, bijoux plus ou moins précieux, boléros de toreros scintillants et fripes diverses, en fonction des « arrivages ».

Gotham

C. de Cervantès, 7 (C3)
M° Liceu
☎ 93 412 46 47
Lun.-ven. 11h-14h et 17h-20h30, sam. 11h-14h.

Dans la tendance vitamine, cette boutique affiche des couleurs acidulées et des plastiques translucides et fantaisistes façon bande dessinée. Vous y trouverez des meubles des années 1950 à 1970 qui donnent au monde leur touche ludique. Antidote à la grisaille assuré !

La Inmaculada Concepción

C. del Rosselló, 271 (C1)
M° Diagonal
☎ 93 217 78 90
Lun.-sam. 10h-14h et 16h30-20h.

Un des pionniers dans les meubles de récupération : modernistes et industriels, bureaux professionnels style américain, et créateur de lampes aux abat-jour parcheminés.

Urbana

C. de Seneca, 13 (D1)
M° Diagonal
☎ 93 237 36 44
Lun.-ven. 10h-14h et 16h30-20h.

Tout en haut du paseo, dans une extraordinaire mise en scène, vous trouverez des reliques récupérées de maisons patriciennes espagnoles (cheminées, accessoires de salles de bains), des fauteuils de cinéma, mannequins à la Chirico, vieilles enseignes et décors coloniaux de droguerie. Au n° 258 de la carrer de Còrsega, retrouvez Urbana, spécialisé dans les cheminées anciennes.

POUR CHINER

Reportez-vous aussi au chapitre « Alambic et vieilles dentelles » (voir p. 18) pour retrouver boutiques et propositions de flâneries pour chineur amoureux:
• Erika Niedermaier
C. de la Palla, 11 (F5) – ☎ 93 412 79 24
Lun.-ven. 10h30-13h30 et 16h30-20h, sam. 11h-13h30.

Marché de l'art
et salles d'exposition

La rue Consell de Cent (entre Pau Claris et Balmes) réunit les galeries d'art les plus importantes. Des quartiers remis au goût du jour tels que le Raval ou le Born voient s'ouvrir de nouveaux espaces, fers de lance de l'avant-garde. Voici quelques lieux légendaires ou visionnaires qui aiguiseront votre curiosité artistique.

p. 27), cet espace est spécialisé en œuvres graphiques originales, livres illustrés d'artistes comme Arroyo, Campano, Chullida, Le Witt et, naturellement, Tàpies.

Editiones T
C. del Consell de Cent, 282
M° Passeig de Gràcia (C2)
☎ 93 487 64 02
Mar.-ven. 10h-14h
et 16h-20h, sam. 11h-14h
et 17h-20h30.

Inauguré en septembre 1994 par le fils d'Antoni Tàpies (voir

Ras
C. del Doctor Dou, 10
(F5)
M° Catalunya
☎ 93 412 71 99
Mar.-ven. 11h-21h, sam 12h-21h.

Ras est une intéressante galerie d'art contemporain où sont organisées des expositions-conférences sur l'architecture, le design et la photographie. La librairie qu'elle abrite est tout aussi tendance et innovante.

Metrònom
C. de la Fusina, 9 (G6)
M° Jaume I ou Arc de Triomf
☎ 93 268 42 98
Mar.-sam. 10h-14h
et 16h30-20h30.

à l'ombre du marché del Born s'épanouit la galerie du célèbre collectionneur Rafael Tous. Ces halles abritent également une fondation de l'art contemporain. Une clef de la vie culturelle barcelonaise.

Galeria Maragall

Rambla de Catalunya, 116 (D2)
M° Diagonal ou Provença
☎ 93 218 29 60
Lun.-ven. 10h-13h30 et 16h30-20h30, sam. 10h30-14h et 17h30-20h30.

Cette galerie défend hardiment les couleurs catalanes. Les avant-gardes des XIXe s. et XXe s. se disputent les cimaises : Tàpies, Miró… ou Castro, Enrick pour les plus jeunes. Un lieu également incontournable si vous êtes amateur de lithographies : les collections sont riches et abordables (à partir de 25 €).

Dels Àngels

C. dels Àngels, 16 (F5)
M° Catalunya
☎ 93 412 54 54
Mar.-sam. 12h-14h et 17h-20h30.

Les galeries fleurissent dans le quartier du Raval, réhabilité grâce à l'ouverture du musée d'Art contemporain. Les jeunes artistes expérimentaux ont ainsi droit de cité. Un dessin de Santi Moix, par exemple, coûtera une fortune, alors que les peintures iront de 900 à 3 200 €. À visiter pour les nouvelles tendances.

Centre culturel de la fondation la Caixa – palais Macaya

Av. del Marquès de Comillas, 6-8 (A2/B2)
M° Plaça de Espanya
☎ 93 476 86 00
Mar.-dim. 10h-20h.

Dans un palais moderniste remarquable, conçu par Puig i Cadafalch, se trouve un puissant organisme culturel : salles d'expositions, de concerts, de lecture, phonothèque, vidéothèque, librairie, bar. La Caixa est la cinquième institution culturelle à but non lucratif du monde, d'où son dynamisme.

Sala Parès

C. de Petritxol, 5 (F5)
M° Liceu
☎ 93 318 70 08

Lun.-sam. 10h30-14h et 16h30-20h30, dim. 11h30-14h.

La plus ancienne des galeries d'art de la ville (1840) où furent présentés les grands peintres catalans du début du XXe s. : Rusiñol, Casas, Nonell et Picasso (1901). Chaque dimanche matin, les citadins venaient, après la messe, visiter cette institution d'avant-garde où l'on discutait d'art, de politique et de religion. En 1928, Dalí fut à l'honneur. Une visite à ce lieu mythique s'impose.

LA CAIXA, PLUS QU'UNE SIMPLE CAISSE D'ÉPARGNE

Depuis 1990, la Caixa (prononcez « ch » le *x* catalan) est devenue la deuxième entité bancaire d'Espagne. Omniprésente dans les arts et les sciences (musée de la Science), elle renoue ainsi avec une tradition de mécénat fin de siècle. Son logo, dessiné par Miró, une étoile bleue à cinq branches, rayonne sur toute la ville, symbole de la puissance économique et culturelle de la Catalogne.

Librairies
et accessoires de bureau

L'Espagne est le pays d'Europe où l'on consomme le moins de livres par habitant. Et pourtant, Barcelone est traditionnellement une ville d'édition d'art et de bande dessinée ; cinq monuments sont dédiés au livre, et la Sant Jordi (voir p. 13) le consacre. Peut-être tout cela incitera-t-il à la lecture ?

Llibrería del Raval
C. d'Elisabets, 6 (F5)
M° Catalunya
☎ 93 317 02 93
Lun.-ven. 10h-21h30
et sam. 10h-21h.

Derrière le nouveau musée d'Art contemporain, le lecteur entre en religion dans cette ancienne chapelle transformée en librairie. Cet endroit ressemble à une immense bibliothèque, où l'on peut trouver, dans des rayonnages entourés d'une passerelle, des livres d'art, romans, BD...

Papirum
Baixada de la Llibreteria, 2 (G6)
M° Jaume I
☎ 93 310 52 42

Lun.-ven. 10h-20h30, sam. 10h-14h et 17h-20h30.

L'endroit est petit, éclairé d'une lumière de porcelaine, il contient de jolis objets

d'artisanat local. Des sceaux à cacheter, boîtes, agendas, papier fait main, tout est doublé en papier marbré aux couleurs irisées : une production propre à Papirum et unique dans la ville.

La Central
C. de Mallorca, 237 (D1)
M° Passeig de Gràcia
☎ 93 487 50 18
Lun.-ven. 9h30-21h30,
sam. 10h-21h.
C'est dans un bel appartement du centre de la ville que vous découvrirez cette librairie internationale dédiée aux humanistes. Dans une ambiance chaleureuse et intimiste, vous pourrez vous plonger dans des ouvrages de littérature, histoire, sociologie, anthropologie, philosophie, cinéma et art, dans de nombreuses langues.

Tarlatana
C. de la Comtessa de Sobradiel, 2 (F6)
M° Jaume I ou Liceu

☎ 93 310 36 25
Lun.-ven. 9h-19h.

Dans le quartier gothique, Jaume Salvado perfectionne l'art de la reliure et de l'encadrement façon artisanale : à l'étage, l'atelier mérite un coup d'œil curieux. Tarlatana propose également une sélection de plumes, agendas, sous-main et papier coloré.

Norma Comics

Paseo de Sant Joan, 7 (D2)
M° Arc de Triomf
☎ 93 244 84 20
Lun.-jeu. 10h30-14h30
et 16h30-20h30, ven.-sam.
10h30-20h30.

Les collectionneurs de BD américaines, japonaises,

européennes viennent y chercher des éditions originales. Les amateurs de jeux de rôle, batailles fantastiques, *Guerre des étoiles* et les jeunes rois Arthur en herbe s'y approvisionnent en cartes et en dés. Si jamais rien de tout cela ne vous attirait, jetez un coup d'œil aux machines à chromos japonais, elles sont en vente.

Llibreria Rodes

C. dels Banys Nous, 8 (F5/6)
M° Jaume I ou Liceu
☎ 93 318 13 89
Lun.-ven. 10h-14h et 16h-20h, le sam. tél. avant.
Dès la porte franchie, le ton est donné : du sol au plafond, de vieux ouvrages, des éditions

épuisées, des gravures du XVIIIe s. tapissent les murs. Une vieille dame au visage parcheminé s'inquiète de votre visite, un chat ronronne… Dans le quartier des antiquaires, cette librairie est un voyage à la recherche du temps perdu.

Llibreria Sant Jordi

C. de Ferràn, 41 (F6)
M° Jaume I ou Liceu
☎ 93 301 18 41
Lun.-sam. 9h30-13h30
et 16h30-20h30.
Père et fils tiennent cette librairie née en 1880.
Le décor moderniste, aux boiseries ivoire, appartient à une époque révolue.
Un accueil chaleureux et une aide efficace vous guident dans votre choix d'ouvrages en architecture, design, art. Par simple curiosité, regardez le charmant *calendari dels pagesos*, calendrier religieux astronomique paysan, émaillé de dictons et

comptines (dispo déc.-fév., env 2 €).

Continuarà

Via Laietana, 29 (G5/6)
M° Jaume I
☎ 93 310 43 52
Lun.-sam. 10h30-15h
et 16h-21h.
Le royaume de la BD sous toutes ses formes et sur deux étages. Le premier est consacré aux comics modernes (Tintin, Mortadelo et Philémon) et, en dessous, les vieux routards (Mafalda, Zorro, le Coyote, Spiderman et Superman) qui, malgré leurs 80 ans d'existence, gardent toute leur agilité.

BD, COMME BARCELONE DESSINÉE

À Barcelone se trouvent le noyau d'éditeurs espagnols, papeteries, imprimeries ainsi que maisons d'édition et distributeurs. Ce n'est donc pas un hasard si cette ville a donné naissance à des publications, à un marché vivant et à un public fidèle à la BD. Des revues telles que *El Vibora* (50 000 exemplaires), *Cairo*, *La pirana divina*, *Complot* drainent des dessinateurs underground des années 1970 aux héritiers de la vieille tradition européenne.

Gastronomie

Sybarite, gourmet, hédoniste, fine gueule, jouisseur, épicurien… Appelez cela comme vous voudrez, mais voici quelques adresses gourmandes pour emporter chez vous délices sucrées et salées et poursuivre la fête. Une kyrielle de senteurs et de saveurs à consommer sans modération et « nourrir de plaisir » !

J. Mùrria

C. de Roger de Llúria, 85 (D2)
M° Passeig de Gràcia
☎ 93 215 57 89
Lun.-sam. 10h-14h et
17h-20h.

Ici, les joies du palais se conjuguent à celles des yeux. Dans un cadre moderniste exceptionnellement bien conservé, les gourmets les plus exigeants trouveront des jambons de Guijuelo à l'huile d'olive extra-vierge, en passant par les confitures du Penedès « sans pépins » : souvenirs savoureux pour papilles délicates.

Colmado Quilez

Rambla de Catalunya, 63 (D2)
M° Diagonal ou Passeig de Gràcia
☎ 93 215 23 56
Lun.-sam. matin 9h-14h et
16h30-20h30.

Une épicerie authentique qui, depuis cinquante ans, offre un large choix de produits locaux et fins. Partout s'amoncellent liqueurs, conserves… dans un décor disparate au charme d'antan.

Planelles-Donat

• Av. del Portal de l'Àngel, 25 (F5)
M° Catalunya
☎ 93 317 34 39
Lun.-sam. 10h-20h
• C. de Curcurulla, 9 (F5)
M° Liceu
Lun.-sam. 10h-21h, dim. (mai-oct. uniquement)
16h-21h.

Depuis 1870, cinq générations Donat vendent toutes sortes de *turrónes* (voir encadré), nougats en plaques ou au poids à grignoter en se baladant. Au moment de Noël, cet éventaire en plein vent est bondé : les Barcelonais viennent s'offrir douceurs (5 € la plaque) et sucreries.

La Viniteca

C. dels Agullers, 7 (G6)
M° Jaume I
☎ 93 268 32 27
www.vilaviniteca.es
Lun.-sam. 8h30-14h30 et
16h30-20h30.

Voilà un espace débordant
de vins rouges généreux
(rioja : 5 €), de blancs secs
et fruités (penedès : 4 €),
de champagnes locaux (cava
codorníu brut : 6 €), de rosés,
d'eaux-de-vie…

Xocoa

C. de la Vidrieria, 4 (G6)
M° Jaume I
☎ 93 319 63 71
Lun.-sam. 10h-22h, dim.
12h-15h et 16h-21h45.
Cette chaîne de chocolateries
doit sa réputation autant

à ses chocolats qu'à leurs
emballages. Des dizaines
de tablettes rivalisent
d'originalité, entre leurs
saveurs inédites et délicieuses
et leur papier au graphisme
magnifiquement design.
Chocolat blanc, noir, au
lait, au thé vert, au poivre
de Jamaïque, aux pistaches
caramélisées… Si vous ne
craquez pas par gourmandise,
vous le ferez par esthétisme…

La Colmena

Pl. de l'Àngel, 12 (G6)
M° Jaume I
☎ 93 315 13 56
Lun.-dim. 9h-21h.

Une des seules pâtisseries
spécialisées en bonbons et
caramels mous : à l'eucalyptus,
au pin, au thym, au fenouil,
au café (14 €/kg). Depuis le
début du XXᵉ s., ce palais des
douceurs vend un *turrón* à la
crème brûlée – *de hiema* –, des
panellets en pâte d'amandes
à la Toussaint, et régale les
gourmands de 7 à 77 ans.

Tot Formatge

Passeig del Born, 13 (G6)
M° Jaume I
☎ 93 319 53 75
Lun.-ven. 9h-14h et
17h-20h.
Difficile de rater ce magasin
de fromages tant l'odeur
qui en émane est forte :
délicieux mélange de toutes
les crèmeries d'Europe réunies
dans une petite boutique
toute blanche. Rendez-vous
directement au rayon
espagnol pour vos
provisions de Manchego,
Cabrales (équivalent de
roquefort de chèvre), ou des

catalans Muntanyola, chèvre
Montbru, ou Tupi crémeux.

Farga

Av. de Diagonal, 391 (D1)
M° Diagonal
☎ 93 416 01 12
T. l. j. 8h-21h.

Le pâtissier-restaurateur-
traiteur de référence
à Barcelone compte
aujourd'hui six magasins
répartis à travers la ville.
Ils sont aussi les créateurs
des délicieuses glaces Farggi
réputées dans tout le pays.
Pour un bon aperçu de la
variété et de la finesse de leurs
petits-fours en tout genre,
installez-vous au bar la
journée, pour quelques tapas
dans une ambiance rétro.

LE *TURRÓN* OU LE SECRET DES SAVEURS ORIENTALES

Le *turrón de Jijona* est une douceur arabe qui
remonterait au XVᵉ s. et viendrait d'Afrique du Nord.
Amande, miel et cannelle, ingrédients méditerranéens
mêlent leurs parfums subtils. Autrefois, il se vendait
durant les trois mois de *feria* à Noël ; en 1850,
on supprima les foires et nos vendeurs s'abritèrent
sous les porches d'immeubles. Ils y sont encore et
perpétuent la tradition gourmande.

Souvenirs

Si le modernisme vous a conquis, vous trouverez bien sûr des souvenirs de toutes sortes à rapporter : livres spécialisés, mosaïques, céramiques, reproductions de meubles d'époque… Mais l'artisanat de Barcelone, c'est aussi de la poterie, des tissus, des santons, sans oublier les incontournables de la culture ibérique comme les éventails, les peignes, les azulejos, la tauromachie. Voici quelques adresses pour vous donner des idées.

Casa Ciutad

Av. del Portal de l'Àngel, 14 (F5)
M° Catalunya
☎ 93 317 04 33
Lun.-ven. 10h-20h30,
sam. 10h30-21h.

La maison propose, depuis 1892, des *articulos de tocador*, articles de toilette. Une formidable panoplie de brosses et de peignes de tous styles, certains à l'espagnole, pour retenir les chignons choucroute de ces dames (de 25 à 85 € env.).

Laie la Pedrera

Passeig de Gràcia, 92 (D1-2)
M° Diagonal
☎ 93 487 35 00
T. l. j. 10h-20h30.

Pour les amoureux du modernisme, la boutique

souvenirs de la Casa Batlló est particulièrement bien achalandée. Outre les cartes postales, *mugs*, et autres porte-photos décorés de mosaïques, vous trouverez une librairie moderniste très bien fournie sur l'époque. Et même des reproductions de meubles de la Casa Calvet (première œuvre de Gaudí) : 1 800 € le fauteuil, 950 € le tabouret.

Caixa de Fang

C. de la Freneria, 1 (F6)
M° Jaume I
☎ 93 315 17 04
Lun.-sam. 10h-20h.

Derrière la cathédrale, les gourmets trouveront les ustensiles propres à confectionner quelques savoureuses recettes catalanes : fer à brûler (4 €), ramequins pour la crème, *porrò* pour boire à la régalade, faitouts *olles* à pot-au-feu, céramique vernissée et cuillères en buis ou en olivier (moins de 5 €).

Ici et là

Pl. Santa Maria del Mar, 2 (G6)
M° Jaume I
☎ 93 268 11 67
Lun. 16h30-20h30,
mar.-sam. 10h30-20h30.

Sur une place rafraîchie par les jets d'une fontaine gothique s'ouvre cette boutique de déco simple et raffinée. Parmi des petits meubles en fer, des consoles en mosaïque et des créations de jeunes designers, vous trouverez un très beau choix de toiles catalanes. Ces tissus épais rayés de couleurs vives et contrastées font de très belles nappes, serviettes, sets de table… (30 € le chemin de table).

Marc 3

Rambla de Catalunya, 12 (D2)
M° Catalunya
☎ 93 318 19 53
Lun.-sam. 10h-20h30.
Bien que spécialisé dans l'encadrement et la reproduction graphique, ce grand magasin possède un rayon « BCN boutique » qui regorge de souvenirs amusants : vaisselle moderniste, carnets à l'effigie de la Sagrada Família, collection de T-shirts Barcelone de Jordi Nogués (17 €), et autres babioles typiques. On adore les toreros en papier mâché Puzzlé (46 €).

Azulejos del Forn Antic

C. de l'Esquirol, 1 (G6)
M° Jaume I
☎ 93 268 46 58
Appeler avant de venir.

Le propriétaire allemand de cette boutique-vitrine s'est spécialisé dans l'export de carreaux de céramique et grès de Valence. Unis ou à motifs, mats ou brillants, choisissez parmi la production des meilleurs artisans valenciens (Alteret, Ferret, Ceramica Antiga…) de quoi daller les sols d'une maison de campagne, carreler une cuisine, décorer les contours de porte. Une fois de retour chez vous, envoyez vos mesures !

Art Escudellers

C. dels Escudellers, 23-25 (F6)
M° Liceu
☎ 93 412 68 01
Lun.-dim. 11h-23h.
Bonnes affaires à faire dans ce magasin de céramique artisanale à l'allure légèrement austère, avec ses néons blafards et ses sols bruts. Des stands exposent les

poteries typiques d'Espagne classées par régions. On aime la Catalogne et ses faitouts marron de toutes tailles, ses figurines déco modernistes, ses santons de crèche dont le fameux *caganer* symbolisant la fertilité (voir p. 12)… Coup de cœur pour les saladiers bicolores de Gérone (20 €).

A. MONGE

Philatéliste ou pas, la devanture moderniste de cette boutique vaut à elle seule la visite. Depuis 1904, Señor Monge se pique de numismatique et de philatélie mondiale : collections de monnaies classiques des Ier et IIe s. Plus abordable : la série de timbres des JO (2 €).
C. dels Boters, 2 (F5) – M° Liceu
☎ 93 317 94 35 – Lun.-sam. 9h-13h30 et 16h-20h.

Sortir **mode d'emploi**

Le designer Mariscal a inscrit dans ses trouvailles le calembour catalan suivant : « Bar–cel–ona », c'est-à-dire *Bar* : « bar », *cel* : « ciel », *ona* : « vague ». On voit par là combien la ville est inséparable de ses bars, temples du cérémonial nocturne qui se joue un peu partout. De cocktails bien frappés en lieux mythiques du jazz, de décor postmoderne en hangar désaffecté, les rythmes se jouent et se dansent sur tous les tons… Soyez prêt à tous les vertiges et la nuit vous fera frissonner de plaisir.

Où et quand?

La nuit barcelonaise change de nature en permanence. Les lieux à la mode sont vite relayés par de nouvelles enseignes, et les bars se renouvellent à une allure

SE REPÉRER

Nous avons indiqué, à côté de chacune des adresses des chapitres Séjourner, Shopping et Sortir leur localisation sur la carte générale située à la fin de ce guide.

vertigineuse. La mode se démode au rythme d'engouements capricieux et il faut apprendre à naviguer au royaume des couche-tard. Ici, on sort du 1er janvier au 31 décembre, de 7 à 77 ans. Il est difficile de recommander un quartier plutôt qu'un autre, les lieux à la mode variant au cours des saisons. Les nuits d'élection sont les jeudi, vendredi et samedi soir. L'été, des *carpas* (tentes) sont dressées dans le port ou sur les stades, ou encore sur les hauteurs de la ville. Toujours assez spectaculaires

et réunissant les meilleurs bars du moment, elles sont les points chauds et shows de la saison. À ne manquer sous aucun prétexte.

Combien ?

Souvent, seules les consommations sont payantes, ce qui permet de passer d'un endroit à l'autre sans grever votre budget. Si l'entrée est payante, son prix oscille entre 6 et 12 €, et souvent le droit d'entrée de votre cavalière ou le premier verre sont gratuits. Une entrée de cinéma est bon marché, une place de théâtre coûte environ 12 €.

Comment ?

Surtout ne démarrez pas trop tôt, avant 23h rien ne bouge. Certaines discothèques ne sont à fréquenter qu'à partir de 2h, sinon vous risqueriez d'être tout seul ! Si le fêtard glisse dans la nuit jusqu'au petit jour, il y aura toujours un bar avec du *chocolate con churros* pour le réconforter ou les boulangeries pour débiter le *pa de coca* croquant sous la dent. Vous l'aurez compris, on dort peu à Barcelone, l'empire du Catalan bosseurnoceur est à vous si vous en acceptez les règles.

Comment réserver ?

Si vous désirez à la dernière minute réserver un spectacle ou un concert, le concierge de votre hôtel vous aidera, mais ayez déjà une idée de ce que vous voulez voir, pour ne pas vous faire imposer son choix. Pour vous renseigner consultez, *La Guía del Ocio* et les journaux *El País* ou *La Vanguardia*, qui vous donneront tarifs, téléphones et horaires. Pour certains spectacles, vous pouvez obtenir une réduction de 50 % en prenant vos places le jour même,

UN COCHE MENYS

Comment découvrir la ville la nuit de façon sportive et écologique ? Les mardi, jeudi et samedi soir à 19h30, des dizaines de bicyclettes s'élancent à la suite d'un guide, pour sillonner la vieille ville et le bord de mer. Apéritif et dîner sont prévus et, en fin de soirée, on danse. Bonne occasion pour faire connaissance avec des Catalans et des lieux insolites sans effort. Une carte d'identité et une tenue de sport correcte sont exigées.

C. de l'Esparteria, 3 (G6)
☎ **93 268 21 05**
www.bicicletabarcelona.com pour découvrir toutes les activités de Coche Menys, le soir comme le jour Mar., jeu., sam. (22 €).

trois heures avant la représentation (renseignements à l'office du tourisme de la place de Catalunya). Les concerts au Palau de la Música sont souvent très courus et nécessitent un déplacement anticipé pour retirer des places. Quant au Liceu, l'opéra, il a été rouvert en octobre 1999, après une longue rénovation.

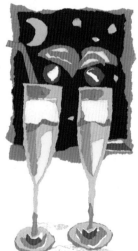

Le look barcelonais

Aucune tenue vestimentaire particulière n'est exigée à l'entrée de ces antichambres de la nuit, mais si vous tenez vraiment à la perruque et aux bas de soie, personne ne se formalisera : Barcelone est moins conventionnelle que Madrid. Ne vous encombrez donc pas d'une garde-robe chic pour sortir, seuls les concerts sont l'occasion de s'habiller un peu plus. Quant aux restaurants, l'ambiance y est partout très décontractée.

SE DÉPLACER

Pour vous déplacer, empruntez les taxis, ils sont nombreux et abordables – quoiqu'un peu plus chers la nuit. La ville est en général sûre, mis à part le quartier du barrio Chino, terrain d'élection de la prostitution bon marché et de la drogue. En vous y rendant en taxi, vous éviterez les soucis.

Sortir à Barcelone

1 - Teatre Lliure
2 - Tarantos
3 - Cinemes Verdi
4 - Jamboree

Cabarets, spectacles

Tarantos

Pl. Reial, 17 (F6)
M° Liceu
☎ 93 318 30 67
Réservations :
☎ 93 319 17 89
Lun.-sam. spectacle à 22h.

Le flamenco n'a pas les faveurs des Catalans, mais si vous rêvez de danses andalouses, los Tarantos sont les représentants incontestables de cet art. Ils électrisent la salle par leurs chants stridents et les robes à volants font des farandoles : un spectacle « trip ibérique » bien monté.

Jamboree

Pl. Reial, 17 (F6)
M° Liceu
☎ 93 319 17 89
T. l. j. 21h-5h, concerts tous les soirs 21h et 23h.

Premier club de jazz, ouvert en Espagne en 1959, ce local aux voûtes d'ancien couvent a depuis longtemps troqué la cornette pour le saxo ! Concerts de blues, *dixieland*, jazz de New Orleans, puis place au funk et à ses trépidations effrénées.

Costa Breve

C. d'Aribau, 230 (C1)
M° Diagonal ou Muntaner
☎ 93 414 27 78
Jeu.-sam. minuit-5h30.

Cet antre *smart* et *clean*, patiné par les ans, est un endroit branché barcelonais. Salsa, rumba, funk, acid-jazz ou encore pop... Faites votre choix, il y en a pour toutes les sensibilités musicales.

Musique

L'Auditori

C. de Lepant, 150 (E2)
M° Monumental
☎ 93 247 93 00
www.auditori.org
Vente par téléphone
au 902 10 12 12 (règlement par Carte bleue).

Réalisé en 1999 par l'architecte Rafael Moneo, le bâtiment de l'Auditori de Barcelone est devenu une référence dans le monde de la musique classique, son acoustique parfaite satisfait les mélomanes les plus exigeants. L'Auditori dispose de deux salles à découvrir absolument.

Palau de la Música

C. de Sant Francesc de Paula, 2 (G5)
M° Urquinaona
☎ 93 295 72 00.

Dès votre arrivée, si vous êtes mélomane, ne manquez pas de vous renseigner sur la programmation donnée dans cette splendide salle de concerts de musique classique. Le décor moderniste de Domènech i Montaner est un morceau de bravoure, son faste mérite un regard attentionné (voir p. 46)

Cinéma

Cinemes Verdi

C. de Verdi, 32 (D1)
M° Fontana
☎ 93 238 78 00.

Sa façade rétro donne le ton. Pour les nostalgiques du septième art à la *Cinema Paradisio*, un cinéma particulièrement à la hauteur de vos espérances : une programmation variée et originale de réalisateurs indépendants, des festivals de films d'auteur, et des projections étrangères toujours en version originale. Pour les films latins du moment, c'est là qu'il faut aller. On en redemande.

Bars à tapas, en-cas de nuit

Vildsvin

C. de Ferrán, 38 (F6)
M° Jaume I
☎ 93 317 94 07
Restaurant : lun.-jeu. jusqu'à 1h (bar jusqu'à 2h).

Dans ce cadre raffiné à la new-yorkaise, on déguste champagnes ou bières, plats de la région ou tapas garnies d'aile de canard confit. La clientèle est constituée d'esthètes, d'intellec-tuels, de financiers ou d'artistes. Réservation conseillée pour un dîner en fin de semaine. Si l'envie d'huîtres vous surprend dans la nuit, l'adresse est tout aussi indiquée ! Dernière précision, Vildsvin prépare également des petits déjeuners.

Venus Delicatessen

C. d'Avinyó, 25 (F6)
M° Jaume I
☎ 93 301 15 85
Lun.-sam. midi-minuit.

Avec son sol en damier, ses grandes fenêtres sur deux rues perpendiculaires, ses tables et chaises en bois, ce petit « Delicatessen » très bohème de la rue d'Avinyó vous accueille comme à la maison. Derrière la caisse, les jeunes patrons vous concoctent plats du monde, salades et tartines simples et savoureux. Des artistes amis exposent leurs œuvres sur les murs. Café et *copas* servis à toute heure.

Sagardi

C. de l'Argenteria, 62 (G6)
M° Jaume I
☎ 93 319 99 93
T. l. j. 10h30-0h30
(1h ven.-sam.).

Le menu en dit long – *Extensa variedad de pintxos frios y callentes* – et le principe est simple : vous attrapez vos tapas au bar, les picorez, dedans ou dehors, et payez selon le nombre de bâtonnets qu'il reste dans l'assiette. Les habitués n'en démordent pas et il y en a pour tous les goûts. Sans oublier quelques liqueurs et des *postres* appétissants pour les gourmands.

El Salón

C. de l'hostal d'en Sol, 6 (F6)
M° Jaume I
☎ 93 315 21 59
Lun.-sam. 19h-2h (bar),
20h30-23h30 (resto).

Derrière la poste, sur une petite rue, s'ouvre ce *Salón* convivial : chaises dépareillées autour de tables isabellines, chandeliers baroques, pierres apparentes colorées au tampon, canapé récupéré s'harmonisent joyeusement. Le cadre idéal pour déguster une pâtisserie maison ou une petite soupe de

légumes réconfortante, jusqu'à 3h du matin.

La Vinya del Senyor

Plaça Santa Maria, 5 (G6)
M° Jaume I
☎ 93 310 33 79
Mar.-dim. 12h-1h.

Sur la place qui s'étend au pied de la magnifique église Santa Maria del Mar, cette terrasse est des plus plaisantes. Une vigne du seigneur avec plus de 300 vins à son actif vous propose une sélection bimensuelle de 25 crus locaux au verre, à boire accompagné de *secallona*, fine saucisse sèche catalane, ou d'un assortiment de fromages régionaux. Aucun doute, vous succomberez au péché de gourmandise.

El Japones

Pg de la concepció, 2 (D1)
M° Diagonal
☎ 93 487 25 92
Midi : t. l. j. 13h30-16h
Soir : dim.-mer 20h30-minuit, jeu. 20h-minuit,
ven.-sam. 20h-1h.

Pour déguster une excellente cuisine japonaise dans un cadre zen et tendance, allez profiter du Japones. On partage son repas sur de grandes tables et des banquettes en bois massif, et la cuisine, gris anthracite et rouge, est ouverte sur la salle.

Sol Soler

Pl. del Sol, 21 (D1)
M° Fontana
☎ 93 217 44 40
Lun.-mer. 15h-1h, jeu. 15h-2h30, ven. 15h-3h, sam. 13h-3h, dim. 13h-1h.

Sur la plaça del Sol, pas moins d'une demi-douzaine de bars occupent les terrasses. En début de soirée, la maison propose des tapas alléchantes : ailes de poulet à la sauce aigre-douce, taboulé aux herbes fraîches, terrines de légumes et de poisson. Des tables bistrot, un carrelage en damier,

des ventilateurs poussifs campent le décor pour une cuisine savoureuse et des petits vins de pays.

Casa Fernandez

C. de Santaló, 46 (HP)
M° Diagonal ou Muntaner
☎ 93 201 93 08
Dim.-jeu. 13h-1h (cuisine 0h30), ven.-sam. 13h-1h30 (cuisine 1h).

Au milieu de vos pérégrinations nocturnes, une petite faim vous saisit. Rendez-vous chez Fernandez pour avaler, sur le pouce, une assiette de cochonnailles ou une *tortilla* onctueuse arrosée d'un petit vin blanc du Penedès, et c'est reparti.

Bars de nuit

Ra

C. de Jerusalem, 30 (F5)
M° Liceu
☎ 93 301 61 32
T. l. j. 8h-1h ; dîner et terrasse du 1er mai au 30 octobre.

Derrière le marché de la Boqueria, sur le côté droit du parking couvert, une pancarte « Ra » dépasse du lierre qui recouvre une grande façade en pierre. Aux beaux jours, repérez les parasols kitsch de la terrasse. Une halte fraîche et branchée dans ce quartier populaire, pour prendre un café le matin, un vrai repas pour le déjeuner, ou un verre le soir quand la musique se fait plus forte.

Síncopa

C. d'Avinyó, 35 (F6)
M° Drassanes ou Jaume I
T. l. j. 18h-2h, ven.-sam. jusqu'à 3h.

Voici une adresse chaleureuse, lors de vos pérégrinations nocturnes, entre la Catedral et le Moll de la Fusta. Ici respire la bonne humeur et pour cause : les amoureux des Caraïbes ou du Brésil seront servis, en musique, comme en *tequila sunrise* et autres *margarita*. Accroché au

1 - Ra
2 - Venus Delicatessen
3 - Ra
4 - Le Marsella

long comptoir ou perdu dans la foule de la petite salle, on vient volontiers refaire le monde dans ce bistrot-bar de nuit musical, habillé de rouge et or.

Café Royale

C. Nou de Zurbano, 3 (F6)
M° Liceu
☎ 93 412 1433
Mar.-jeu. 17h-2h30,
ven.-sam. 5h-3h.

À deux pas des arcades de la plaça Reial, les sofas du Café Royale sont les plus courus du moment. Cependant, ce n'est ni leur indéfectible confort ni l'éclairage sophistiqué de ce cocon chaleureux qui attire, mais les talent et les prouesses du DJ maison Fred Guzzo. Sa marque de fabrique : la musique noire, et toutes ces ramifications : funk, soul, bossa, latin jazz ou jazz. Sur ce tempo, la clientèle allonge donc le bras au bar ou gigote dans les sofas.

London Bar

C. Nou de la Rambla, 34 (F6)
M° Liceu

☎ 93 318 52 61
Mar.-dim. 19h-4h.

Le quartier du Raval (attention le soir aux pickpockets) a heureusement conservé ce bar ouvert depuis 1910. Picasso s'y rendait pour ses nuits d'errance ; le décor est intact, patiné par le temps, les effluves de tabac et les rythmes de jazz s'y mêlent et lui donnent des airs de bohème d'autrefois. Certains soirs, une trapéziste tourbillonne dans les airs, en hommage aux artistes du cirque barcelonais, détruit pendant la guerre civile.

Ovivo

Carrer de N'Arai, 5 (F6)
M° Drassanes
☎ 637 589 269
T. l. j. 10h-3h.

À un angle de la place George Orwell, triangle gentiment déjanté d'un quartier qui bouge, ce bar très brut à la déco défraîchie s'enfonce vers une salle arrière. Matériel, affiches et quelques projections d'ambiance déclinent discrètement le thème du super 8. On choisit Ovivo pour une tournée de bars, une soirée sympathique ou une pause tranquille le jour. Snacks, verres et ambiance cool à toute heure.

Palau Dalmases

C. de Montcada, 20 (G6)
M° Jaume I
☎ 93 310 15 17
T. l. j. sf lun., 20h-2h
et dim. 18h-22h.

À deux pas du musée Picasso, un décor baroque fastueux flamboie dans un palais aristocratique de la rue Montcada :

miroir enchanté, odeurs de musc, d'ambre et d'iris, bouquets de fruits frais et guirlandes de fleurs éclairés à la chandelle. Un concert de musique baroque hebdomadaire devient un rêve de nuit dans cette demeure brillante. Que le spectacle commence !

El Born

Pl. de Comercial, 10 (G6)
M° Jaume I
☎ 93 319 53 33
T. l. j. 18h-minuit.

Le passeig del Born et ses alentours sont devenus l'endroit branché pour nuits fiévreuses. La tournée des bars s'impose (essayez aussi le Miramelindo)... ils se partagent les faveurs des oiseaux de nuit : artistes en mal d'inspiration, amoureux en goguette, étudiants *Greenpeace* et musiciens en verve refont le monde jusqu'au petit jour.

Luz de Gas Port Vell

Moll del Dipòsit (D3)
M° Barceloneta
☎ 93 209 77 11
De mars à novembre 12h-3h.

Aux beaux jours, la petite sœur de la boîte de nuit Luz de Gas vous accueille pour des verres et quelques tapas à bord d'un bateau amarré dans le vieux port. Juste en dessous des anciens entrepôts réhabilités du

Palau de Mar et de ses terrasses de restaurants touristiques, le bateau jouit d'un emplacement particulièrement calme. Romantisme assuré.

Almirall

C. de Joaquín Costa, 33 (C2)
M° Liceu
☎ 93 318 99 17
T. l. j. 19h-2h.

À deux pas du musée d'Art contemporain, ce bar du Raval a conservé un agréable cadre moderniste, les habitués du quartier se réunissent autour de petites tables bistrot ou sur les sofas défoncés.

Le Marsella

C. de Sant Pau, 65 (C3)
M° Liceu
☎ 93 442 72 63
Lun.-jeu. 21h-2h30,
ven.-dim. 18h-2h30.

Dans le quartier du Raval, Le Marsella au décor inchangé attend Indiana Jones. Miroirs ternis, chaises bistrot et tables de marbre lui confèrent un climat empreint de nostalgie. En fin de semaine, une tireuse de cartes vous prédira votre ligne de chance, demandez la *Señorita* Michot qui parle le français.

Torres de Avila

Av. del Marquès de Comillas
M° Espanya (A2)
☎ 661 233 023
T. l. j. 23h-5h.

Des designers de talent ont aménagé les deux tours d'entrée du Pueblo Español. Sur plusieurs niveaux, telles des poupées gigognes, s'étagent des bars, salles de billard, et surtout des terrasses qui dominent la ville ornées d'astres dessinés par Mariscal. En été, un point de vue qu'il ne faut manquer sous aucun prétexte.

Reñé

C. del Consell de Cent, 362-364 (C2)
M° Passeig de Gràcia ou Girona
☎ 93 488 27 71
Lun.-sam. 9h-2h.

Tout nouveau tout beau. Reñé a investi le cadre de l'ancienne *pasteleria* du même nom, dont il a gardé la façade moderniste et quelques éléments d'architecture intérieure. Le reste est d'une facture italienne design. À côté du restaurant à la carte *fusion food*, un coin *chill-out* pour buveurs de cocktails ou fumeurs de cigares.

Snooker

C. Roger de Llúria, 42 (D2)
M° Urquinaona
ou Passeig de Gràcia
☎ 93 317 97 60
T. l. j. 17h-3h, jusqu'à 3h30 le sam.

Dans un superbe décor rouge et or, à l'éclairage d'albâtre tamisé, aux fauteuils Riart disséminés ici et là, évoluent les amateurs de billard russe « snooker ». Une ambiance feutrée pour savourer un *mojito* ou un *hawaii*.

Moovida

Bar de l'hôtel Omm
C. del Rosselló, 265 (C1/D1)
M° Diagonal
☎ 93 445 40 00.

Très couru à Barcelone en ce moment, le bar de l'hôtel Omm est LE rendez-vous de la jet-set locale et internationale. Dans un cadre

1 - Moovida
2 - Snooker
3 - Shoko
4 - Universal

au design parfaitement tendance, typique du groupe Tragaluz, dégustez un cocktail savoureux ou un vrai repas au rythme de la sélection musicale d'un DJ branché. Ambiance chic et snob.

La Fira

C. de Provenza, 171 (C1)
M° Hospital Clinic
Lun.-jeu. 13h-minuit,
ven.-dim. 13h-5h.

Un de nos endroits préférés, réservé aux nostalgiques d'ambiance *La Strada*. Un passionné a transporté, pièce par pièce, le bric-à-brac d'une fête foraine : miroirs déformants, automates énigmatiques, diseuse de bonne aventure, balançoires et manèges content leur histoire et livrent leur âme. Amants de la poésie, bonsoir !

Luz de Gas

C. de Muntaner, 246 (C1)
M° Hospital Clinic
☎ 93 209 77 11
T. l. j. 23h30-5h.

L'ancien théâtre Belle Époque a été transformé en une immense salle de danse et de concerts ; l'amphithéâtre est un espace agréable pour discuter tranquillement ou se restaurer d'un *bocadillo*, sandwich à l'espagnole. Clientèle de 7 à 77 ans.

Virreina

Pl. de la Virreina, 1 (HP par D1)
M° Fontana
☎ 93 237 98 80
T. l. j. 9h-0h30.

Il règne une atmosphère de village à la terrasse du Virreina, situé sur l'une des plus belles places du quartier. Si l'ambiance, à midi, est familiale et tranquille, elle y est très animée le soir, surtout avant ou après les séances du cinéma Verdi, tout proche.

Café del Sol

Pl. del Sol, 16 (D1)
M° Fontana
☎ 93 415 56 63
T. l. j. de 12h30-3h.

Installez-vous à la terrasse de ce bar pour observer les jeux de la place : les vieux papotent et prennent le frais en pantoufles, les enfants tapent hardiment dans un ballon, des tourtereaux se bécotent sur les bancs publics.

Gimlet

C. de Santaló, 46 (HP par C1)
Ferrocarril Muntaner
☎ 93 201 53 06
T. l. j. 19h-3h, f. le dim.

Dans les années 1970, Gimlet redonna un élan au culte du cocktail. Le décor, inspiré des années 1950, rend un hommage discret dans ses vitrines au shaker. Les clients connaisseurs sont conscients qu'ils savourent, ici, le meilleur dry Martini de la ville. Avis aux amateurs.

Mas i Mas

C. de Marià Cubí, 199 (HP par D1)
M° Gràcia
☎ 93 209 45 02
T. l. j. 19h-2h30, ven.-sam. 19h-3h.

Ce joli bar branché du quartier chic de la ville haute rassemble probablement la plus grande concentration au mètre carré de noctambules cosmopolites et huppés. Entre bar à cocktails et boîte de (début de) nuit, les soirées plutôt calmes et détendues au départ se terminent très agitées, grâce à une programmation musicale prévue à cet effet par des DJ résidents excellents.

Up and Down

C. de Numància, 179 (HP)
M° María Cristina
☎ 93 205 51 94
Mar.-sam. à partir de minuit.

C'est l'adresse, si vous sortez avec vos parents : *up* pour eux et *down* pour vous. La bonne bourgeoisie barcelonaise règle ainsi les heurts de générations : on est sous le même toit mais chacun ses quartiers. Dîner musical et cravate imposée en haut, look débridé et Coca-Cola en bas.

Tres Torres

Via Augusta, 300 (D1)
Ferrocarril Tres Torres
☎ 93 280 18 94
Lun.-jeu. 17h-3h,
ven.-sam. jusqu'à 4h.

En été, les terrasses et le jardin de cette splendide villa moderniste font d'elle une maison enchantée, avec ses tables dressées sous les palmiers et ses fauteuils en bambou : commandez un ti'punch sous le clair de lune !

Mirablau

Plaça del Doctor Andreu, Final, av. Tibidabo (HP)
Au pied du funiculaire
☎ 93 418 58 79
T. l. j. 11h-4h.

Ce bar belvédère est une étape obligée pour fin de soirée *romántica*. à partir de 2h du matin, les couples s'installent en terrasse… Les jeunes gens, transis d'amour, offrent à leur belle la ville qui scintille au loin. Un classique indémodable !

Rosebud

C. d'Adrià Margarit, 27 (HP)
Av. Tibidabo
☎ 93 418 88 85
Lun.-jeu. 23h-4h, ven.-sam. 23h-5h30.

« Rosebud » est la dernière parole prononcée par le protagoniste de *Citizen Kane*. Aucun rapport avec le cadre du bar, mais peu importe ! C'est la destination idéale pour les douces soirées d'été, et l'immense cage de verre est un endroit agréable.

Mirabé

C. de Manuel Arnús, 2 (HP) (Tibidabo)
À l'arrivée du tranvia bleu
☎ 93 434 00 35
T. l. j. 19h-3h.

Prendre un pot dans un jardin romantique avec vue panoramique sur Barcelone fait partie des charmes de ce bar musical situé sur les hauteurs de la ville. L'ambiance BCBG à l'étage est calme et réservée, propice aux confidences. Au rez-de-chaussée, l'on danse sur les rythmes des années 1980. Charme et glamour assurés. Téléphonez avant de venir, il arrive que l'endroit soit fermé pour des fêtes privées.

Salsitas

C. Nou de la Rambla, 22 (F6)
M° Paral.lel ou Liceu
☎ 93 318 08 40
Restaurant : mar.-dim.
20h30-minuit
Discothèque : ven.-sam.
1h-3h.

Salsitas est un local polyvalent, tout blanc et particulièrement innovant. Son restaurant de cuisine méditerranéenne se transforme à partir de minuit en l'une des pistes de danse les plus branchées de la ville. Musique house jusqu'à 4h du matin, ambiance folle et agitée menée par un DJ tendance. N'hésitez plus et jetez-vous dans la danse jusqu'au petit matin !

Shoko

Passeig Marítim de la Barceloneta, 36 (D4/E4)
M° Ciutadella–Vila Olímpica
☎ 93 225 92 03
Mar.-dim. 13h-16h et
20h30-3h.

Sur la plage au pied de l'hôtel Arts, plusieurs bars-restaurants très *in* se partagent le dessous de la promenade aménagée le long de la mer. Agua, Baja Beach Club, el Bestial, Shoko… Avec son intérieur de velours rouge

très zen, ce dernier fait à la fois restaurant, lounge-bar puis boîte de nuit : face à la mer. Carte méditerrano-asiatique,

1 - Shoko
2 - La Vinya del Senyor
3 - Ovivo
4 - Otto Zutz

cocktails, musique lounge et ambiance branchée.

Moog

C. del Arc del Teatre, 3 (F6)
M° Drassanes
☎ 93 301 72 82
T. l. j. minuit-5h.

Dans le Raval, à deux pas de la Rambla, cette petite boîte de nuit branchée peut se vanter d'avoir eu à ses platines des pointures internationales aussi renommées que Jeff Mills, Richie Hawtin ou Laurent Garnier. Une piste de danse qui décoiffe, un coin *chill out*, pour vibrer aux rythmes techno des DJ espagnols résidents comme Robert X ou Olmos.

Dot

C. Nou de Sant Francesc, 7
M° Drassanes (F6)
☎ 93 302 70 26
Lun.-jeu. 22h-2h30,
ven.-dim. 22h-3h.

Une des bonnes pioches du moment, ne faites pas l'impasse. DJ performant, projections de films sur la piste de danse. L'endroit

est plein à craquer tous les week-ends. Ne manquez pas ce rendez-vous branché. *Buenas copas et muchas risas…*

La Paloma

C. del Tigre, 27 (C2)
M° Sant Antoni
☎ 93 301 68 97
Jeu.-dim. 18h-21h30 et
23h-5h.

Une salle de danse légendaire au charme d'antan où vous devez vous rendre sans hésitation. Tout est monument historique en ce lieu : des crooners grisonnants et gominés de l'orchestre aux stalactites en stuc des balcons. Une véritable galerie de portraits qui, à elle seule, mérite le voyage.

Universal

C. Marià Cubí, 182 bis
(HP par C1)

M° Gràcia
☎ 93 201 35 96
Lun.-sam. 23h-6h.

Amateur du *in* ne restez pas *out*, même si l'on vous annonce une soirée privée, insistez. C'est le lieu barcelonais branché par excellence, mais attention aux décibels. Si vous comptiez améliorer votre catalan, le niveau sonore vous en dissuadera vite !

Otto Zutz

C. de Lincoln, 15 (HP par D1)
M° Fontana
☎ 93 238 07 22
Mar.-sam. à partir de minuit.

Sur trois étages, six bars et une immense piste où se mêlent mannequins sexy et fils de happy few, stars du « sportbizz » et Lolita glamour, photographes esseulés et artistes en quête de muse, rebelles chic et *baby dolls* prometteuses qui se déchaînent au rythme d'une techno explosive.